C000127465

TAIR OCHR Y GEINIOG

Mihangel Morgan

Argraffiad cyntaf—Hydref 1996

IBSN 1 89502 445 9

Dymuna'r cyhoeddwyr gydnabod cymorth
Adrannau Cyngor Llyfrau Cymru.

Argraffwyd gan
Wasg Gomer, Llandysul, Ceredigion

Er cof am

B. B.
A. M.
M. S.

Dychmygol yw holl gymeriadau a sefyllfaoedd y storïau hyn. Nid yw'r awdur o angenrheidrwydd yn cytuno â barn neu ragfarn y cymeriadau.

CYNNWYS

There is more difference within the sexes than between them.

Ivy Compton-Burnett

Pen

Dim ond Gonestrwydd

Y Gyfrinach

Er gwaethaf dymuniad rhai o'n cydwladwyr i'w gadw mewn amgueddfa mae Cymreictod modern yn beth hyblyg sy'n cynnwys llawer o amrywiaeth, diolch i'r drefn. Nid yw'n beth anghyffredin y dyddiau hyn i siarad Cymraeg â rhywun o America, yr Iseldiroedd, gwledydd Llychlyn, yr Almaen, Llydaw (wrth gwrs), Siapan (hyd yn oed) a Lloegr (afraid dweud). A beth yw Cymro neu Gymraes? Mae'n greadur anodd i'w ddiffinio. Nid yw'r iaith yn ddigon ar ei phen ei hun— mae llawer o Doriaid Prydeingar rhonc (Ffasgwyr hyd yn oed) sy'n siarad Cymraeg ac sy'n ffyrnig o elyn-iaethus tuag at yr iaith ar yr un pryd. Dyw'r ddamwain o gael magwraeth o fath arbennig mewn ardal arbennig ddim yn sicrhau Cymreictod chwaith. Mae Cymry yn dal i droi cefn ar ardaloedd mor ddiwylliedig eu cysylltiadau â Rhosgadfan, y Groeslon, Bethesda, Rhosllannerchrugog a Chaernarfon heb iot o hiraeth ac yn mudo i Lundain, America, Canada, Awstralia, ac yn anghofio'u hiaith a'u cefndir dros nos (er mai tuedd fwy nodweddiadol o'r ganrif ddiwethaf a dechrau'r ganrif hon yw honno, bellach). Ac mae pawb yn nabod plant beirdd Cadeiriol ac Athrawon Cymraeg a fagwyd ar englynion a cherdd dant a droes yn iypis o Saeson ariangar gwrth-Gymreig. Ar y llaw arall y mae rhai ardaloedd yn dal eu tir ac yn dal i gynhyrchu Cymry 'henffasiwn' llawn idiomau priddlyd, diolch amdanynt, a chymoedd y De a Chaerdydd yn esgor ar fathau newydd ar Gymry sy'n ymfalchïo yn eu soffistigeidd-rwydd. A dyna'r holl enfys o Gymry newydd o gefn-diroedd amryfath y soniais amdanynt uchod sy'n cyf-oethogi'n hiaith a'n diwylliant (yn ystyr ehangaf y

11

gair). Mewn geiriau eraill, y mae rhai o'r Cymry 'gorau' yn dod o Halifax neu Chicago, a rhai o'r gwaethaf yn dod o Flaenau Ffestiniog neu Lanelli. Felly, beth yw Cymreictod? Anghofiwch yr hen ddiffiniadau saff a'r hen ystrydebau a derbyniwch y rhychwant eang, y croestoriad amlhaenog, amlochrog deinamig a newydd, neu ewch i fyw mewn amgueddfa lle cewch chi wrando ar dapiau o 'werinwyr' yn enwi rhannau gêr trol hyd Ddydd y Farn.

Er gwaethaf yr holl hiliaeth rydyn ni'n gorfod ei derbyn, er gwaethaf yr annhegwch, y gormes a'r bygythiadau niferus a'r ymosodiadau o sawl cyfeiriad ar ein hiaith, nid iaith sy'n 'marw' mohoni (defnyddiaf y dyfynodau er mwyn ein hatgoffa taw trosiad yw'r sôn am iaith yn marw ac un a ddefnyddiwyd yn erbyn ei siaradwyr yn y gorffennol), nid iaith leiafrifol (sy'n awgrymu rhywbeth ethnig, cyntefig), nid iaith 'llai ei defnydd' bondigrybwyll (sy'n awgrymu, i mi, iaith sy'n gwisgo sgert sy'n rhy fyr) ac nid hen iaith mohoni eithr iaith fodern hyblyg, gyffrous y mae llawer yn digwydd ynddi.

Meddylier, er enghraifft, am yr holl weithgarwch llenyddol yn yr iaith ar hyn o bryd. Erbyn hyn y mae bron pawb dwi'n eu nabod yn y byd (y bydysawd) Cymraeg (yn hytrach na Chymreig) yn llenor o ryw fath neu'n feirniad llên. Wrth gwrs, y mae ambell druan yn ddim byd ond gramadegydd o ieithgi trist (y teip sy'n casglu ieithoedd lleiafrifol/llai eu defnydd/ hen ieithoedd prin, dan ormes/fygythiad). Dyna'r cylch-oedd dwi'n troi ynddyn nhw, beth bynnag. Dyna fy Nghymru i, dyna'r Cymry Cymraeg fel dwi'n eu gweld nhw nawr.

Ond yn y byd chwaethus a dethol hwn prin bod neb

12

yn siarad am lenyddiaeth yn aml. Wiw i chi sôn am lyfrau yn stafell staff yr Adran Gymraeg yn y Coleg hwn yn y ddinas hon (lle dwi'n gweithio) amser coffi. Marwolaethau, clefydau, trafferthion ariannol, y loteri, gwyliau a phlant yw'r prif destunau trafod. Yr un peth yn y Llyfrgell Genedlaethol—y diffeithdir diwylliannol hwnnw. Ysgymunbethau yw gwleidyddiaeth, crefydd, athroniaeth, rhyw a llenyddiaeth. A'r ysgymunaf o'r rhai hyn yw llenyddiaeth. Plant, ar y llaw arall, yw'r hoff destun gan fod yr Adran hon yn gynhyrchiol iawn —pawb yn planta am y gorau—rhai yn ddirprwyol fel tadau a mamau-cu/teidiau a neiniau. Wedi'r cyfan mae pawb yn licio plant, on'd y'n nhw, a phawb yn gallu adrodd rhyw stori am y pethau bach gwirion y mae plant yn eu gwneud ac yn eu dweud. Ar wahân i hynny does dim byd dadleuol am blant fel y mae crefydd, athroniaeth, gwleidyddiaeth a llenyddiaeth yn ddadleuol.

Mae pawb o'm cwmpas yn ymwneud â llenyddiaeth, serch hynny. Ar wahân i'm cydweithwyr mae o leiaf dri o'm ffrindiau agos yn gweithio ar nofel ar hyn o bryd. Beirdd yw nifer o'm cymdogion, ac yn yr un faestref â mi y mae un o swyddogion uchel-puchel y Castell Llyfrau Cymraeg (sydd hefyd yn aelod o Ford yr Iaith) yn byw. Afraid dweud does ganddi hi ddim i'w ddweud am lyfrau nac wrth lyfrau, yn enwedig llyfrau Cymraeg.

Ie, mae pawb yng Nghymru yn llenydda ac yn cynhyrchu llyfrau—ond pwy sy'n eu darllen nhw? Mae pob un llenor yn meddwl taw ef/hi yw'r gorau yn y Gymraeg ac yn troi trwyn ar waith ei gyfoeswyr gan ddarllen Saesneg fel ymborth a gwrtaith llenyddol. Gyda'r canlyniad bod mwy o lenorion nag o ddarllenwyr gennym.

13

Clywais stori ddigri y diwrnod o'r blaen. Mae cynhyrchydd rhaglenni teledu 'celfyddydol' S4C (fe wyddoch chi'r teip—cyflwynwyr trendi sy'n cymryd tair munud i drafod oes Kyffin Williams neu R. S. Thomas) wedi datgan wrth bawb ei fod e'n mynd i ennill y Fedal Ryddiaith. Mae'n ddespret i wneud marc ac eisoes wedi gwerthu'i enaid i'r diafol. Truenus, ontefe?

Ond mae 'na bobl well na hyn i'w cael, diolch i'r drefn. Er enghraifft, roedd un o'm ffrindiau llenyddol, oedd yn gweithio ar nofel, yn ymgorfforiad o Gymreictod modern. Rhosier Watcyn oedd ei enw. Cafodd ei eni a'i fagu yn Swydd Efrog ond chlywais i mohono'n siarad Saesneg. Rywbryd fe ffolodd ar ein hiaith ni. Enillodd radd yn y Gymraeg. Daeth y Gymraeg yn brif iaith iddo; siaradai yn Gymraeg, ysgrifennai yn Gymraeg, roedd e'n darllen popeth yn Gymraeg (pethau an-nodweddiadol ohonon ni'r Cymry, mi wn). Roedd e'n gallu cynganeddu'n rhugl, hyd yn oed, yn well na fi (fawr o gamp). Rhywbeth yr oedd yn ei gofleidio ac yn ymfalchïo ynddo oedd ei Gymreictod. Ac i'r Gymraeg roedd e'n dod â'i holl gosmopolitanrwydd soffistigedig; ei wybodaeth o ieithoedd a llenyddiaethau a diwylliannau eraill a'i brofiad eang o'r byd. Cyn iddo ddechrau darllen am ei radd a dod i fyw a gweithio yn ein hardal hynod o ddiddorol ni, bu'n ddyn post, yn bysgotwr, yn drefnydd angladdau cynorthwyol, yn werthwr ffenestri gwydr dwbl, yn yrrwr bysiau, yn gartwnydd, yn fyfyriwr, yn athro ac yn arddwr.

—Y Gymraeg oedd fy iechydwriaeth, meddai wrtho i. Ar ôl i mi ddarganfod y Gymraeg gwyddwn 'mod i wedi ffeindio un o'r pethau o'n i wedi bod yn chwilio amdanyn nhw.

—Pa fath o beth? gofynnais i.

—Ces i 'y nhrawsffurfio gan yr iaith. Roedd hi'n fwy na iaith i mi, roedd hi'n fywyd newydd. Wrth i mi ddod yn Gymro tyfais i fod yn berson newydd. Gallwn uniaethu â'r ymdrech i gael cyfiawnder i'r iaith. Drwy dreio bod mor Gymreig ag y gallwn fod, cafodd fy holl fywyd ei newid. Dysgais hanes Cymru, llenyddiaeth Gymraeg, cynghanedd, cerdd dant. Prynais recordiau Cymraeg, ymunais â Chymdeithas yr Iaith a Phlaid Cymru. Fe'm temtiwyd i geisio bod yn aelod o'r Orsedd drwy arholiad. Nawr dwi'n sgwennu yn Gymraeg. Dwi wedi cyhoeddi nifer o storïau a cherddi, fel y gwyddoch chi, a nawr dwi'n gweithio ar fy nofel. Cyn hynny doedd dim cyfeiriad i 'mywyd. Nawr dwi'n gwybod lle dwi'n mynd.

—Ble?

—Wel, dwi ddim yn gallu bod yn benodol, ond mi wn y bydda i'n siarad Cymraeg pan dwi'n cyrraedd.

Ces i'r fraint o gyfarwyddo Rhosier gyda'i draethawd M.Phil ar destun a ddewisodd ef ei hun, sef 'De Cymru yn Nofelau a Storïau Cymraeg yr Ugeinfed Ganrif'. Wrth inni gwrdd bob wythnos i drafod datblygiad y gwaith ymchwil daethon ni'n eithaf cyfeillgar. Yn lle cwrdd yn fy stafell yn yr Adran roedd hi'n arfer inni fynd i ryw gaffé i gael coffi a theisennau—roedd Rhosier yn hoff iawn o deisennau hufen a siocled a phethau melys yn gyffredinol, er ei fod fel llathen. Bob yn dipyn dysgais am fywyd a phersonoliaeth Rhosier, am yr holl swyddi roedd e wedi'u dal—rhai dros dro, ychydig wythnosau, dyddiau yn unig weithiau—am ei deithiau, ei ddiddordebau, ei ofnau a'i obeithion. Y pryd hynny ei brif ofid oedd methu cwpla ei draethawd a methu cael swydd ynglŷn â'r Gymraeg wedyn. Ei

15

obaith oedd cael gwaith yn y ddinas hon a sgrifennu nofel yn Gymraeg.

Sylweddolais yn fuan ei fod yn berson cymhleth. Rhaid i mi gyfaddef, roedd e'n ddeniadol iawn; roedd e'n aeddfed (yn ei dridegau) ac yn olygus. Yna cefais wahoddiad i ymweld â'r stafell fechan lle'r oedd e'n byw yn y dref. Stafell fach dan-y-bondo oedd hi yn llawn llyfrau, mapiau o Gymru, recordiau, planhigion, heb sôn am wely, bord, wardrob a lle i ymolchi a choginio.

—Edrych drwy'r ffenest, meddai, a dyna'r Hen Goleg ar y bryn fel y *Potala*.

—Arswydus.

—Golygfa ogoneddus. Dyna pam cymerais i'r stafell 'ma.

Coginiodd Rhosier bryd o fwyd llysieuol ardderchog (roedd e'n gigymwrthodwr ar egwyddor). Roedd e'n *chef* dawnus a choginio oedd un o'i brif ddiddordebau.

—Dwi eisiau llunio llyfr o rysetiau rhyngwladol yn Gymraeg, meddai.

I ddechrau'r noson honno cawson ni ellyg a ffrwchnedd a hufen (Rhosier oedd yn gyfrifol am 'burdeb' iaith y fwydlen). Haenau o fadarch a chnau casiw wedi'u rhostio oedd y prif saig gyda saws madarch a sieri a phigoglys mewn menyn. I bwdin cawson ni *roulade* oren a *carob*.

—Allwn i ddim cael geiriau Cymraeg am *roulade* na *carob*, meddai yn ymddiheuriol.

Ar ôl y noson honno teimlwn fy mod i'n gallu rhestru Rhosier ymhlith fy ffrindiau. Aem i'r sinema, y theatr ac i fwytai gyda'n gilydd, bydden ni'n siarad ar y ffôn yn aml ac aem i siopa neu aem am dro gyda'n gilydd o leiaf unwaith yr wythnos yn y parc neu yn y wlad.

Un noson es i yn ôl i stafell Rhosier ar ôl inni fod yn gweld ffilm. Roedd y ddau ohonom wedi yfed hanner potel o sieri pan ddywedodd Rhosier ei fod e'n hoyw. Wrth gwrs, roeddwn i wedi amau ers imi gwrdd ag ef, ond mae'n amhosibl bod yn siŵr; wedi'r cyfan, problem weledol neu anweledol yw bod yn hoyw. Petasai dwylo gwyrdd gyda phob person hoyw buasai'n haws inni i gyd—ond yn haws i'n herlidwyr hefyd—ond buasai rhai o'r rheina'n gorfod gwisgo menig.

—Nawr ein bod ni'n deall ein gilydd yn well, meddai Rhosier, mae 'da fi rywbeth arall i'w ddweud.

Roeddwn i'n ddigon hunanbwysig i ofni'i fod e'n mynd i ddweud ei fod e wedi cwympo mewn cariad â mi. Ofni neu obeithio? Yna ychwanegodd:

—Mae'n gyfrinach. Rhaid imi rannu fy maich gyda rhywun. Ond cyn bod modd imi ddweud un gair am y peth rhaid iti dyngu llw na wnei di ddim anadlu gair am y peth wrth neb arall.

—Dwi'n barod i wneud hynny.

—Wyt ti'n siŵr? Gallai'r gyfrinach 'ma fod yn fwrn ar d'ysbryd fel y mae hi ar f'ysbryd i, gall fod yn dy erbyn tra byddi di byw. Wyt ti'n barod i dderbyn cyfrifoldeb ofnadwy'r gyfrinach 'ma er mwyn bod yn gyfaill imi?

Roedd e'n dechrau hela ofn arna i. Doeddwn i ddim yn licio'r holl sôn am 'yr ysbryd' chwaith. Roedd ei lygaid yn syllu arna i, yn serio fel mynawydau i mewn i mi. Ceisiais ddyfalu pa natur oedd i'r gyfrinach hon fel ei bod mor arswydus, ac ar ôl ystyried y peth am ychydig doeddwn i ddim mor siŵr fy mod i'n barod i fod yn bartner yn y mater. Ar y llaw arall roedd chwilfrydedd, yr awydd i wybod beth oedd cynnwys y pecyn gofid, yn drech na mi. Felly, fe gydsyniais.

—Ar ôl i mi ddweud yr hanes 'ma bydd 'mhen i dan dy gesail di am weddill f'oes.

Roedd e'n llawn o idiomau fel'na. Ail-lenwais fy ngwydryn â sieri eto.

—Cyn i mi fynd yn athro, dechreuodd, es i draw i Ferlin i fyw am dipyn. Teflais fy hunan gorff ac enaid i'r bywyd hoyw yno. Yn ystod y dydd awn i sinemâu hoyw i wylio ffilmiau pornograffig. Gyda'r nos awn i'r clybiau hoyw. Roedd rhyw yn beth hawdd i'w gael. Mater o sefyll wrth y bar ac aros nes i rywun ddangos diddordeb. Awn yn ôl i fflat neu i westy bob nos i gysgu gyda rhywun gwahanol. Ond a gweud y gwir roedd hi'n well 'da fi fynd i'r stafelloedd tywyll yn y clybiau 'na a chael rhyw mewn cornel gyda dieithryn na allwn ei weld hyd yn oed. Roedd rhywbeth hynod o gyffrous yn y teimlad o roi fy hunan i berson heb wyneb—rhoi pleser i unrhywun, nid am fy mod yn ei ffansïo neu am ei fod yn fy ffansïo i, ond am ei fod yn digwydd bod yno ar yr un pryd â mi. Roedd y peth yn hollol ddemocrataidd. Peth arall o'n i'n licio oedd ei bod yn hollol amhersonol—dim amodau, dim cysyllt-iadau. Mae'n wir i mi gael ambell brofiad brawychus yn y llefydd 'na. Un noson, er enghraifft, gwna'th rhyw ddyn tew ddechrau gafael am 'y ngwddwg i a cheisio 'y nhagu. Ond roedd y pleserau yn fwy na'r peryglon. Ar fwy nag un achlysur awn i mewn i un o'r corneli tywyllaf a thynnwn amdanaf nes fy mod yn sefyll yno'n gwbl noeth. O fewn ychydig funudau wedyn fe deimlwn ddwylo yn archwilio 'y nghorff. Dwylo mwy nag un person a baswn i'n cael cyfathrach rywiol gyda dau neu dri ar yr un pryd.

Ond daeth amser i mi ddod yn ôl i Brydain. A dyna'r adeg yr es i'n athro ysgol. Yn y swydd honno, afraid gweud, ro'n i'n gorfod bod yn ofalus iawn a pheidio â gadael i neb ddod i wybod am fy rhywioldeb. Ond ro'n i wedi cael blas ar bethau ym Merlin a chwiliais am beth tebyg yn Lloegr. Wel doedd dim clybiau i'w cael yn y gogledd felly awn i'r parc yn y nos, mynychwn doiledau. Ond doedd y ffordd honno ddim yn apelio o gwbl. Pwy sydd eisiau cael rhyw mewn tŷ bach drewllyd, ych-a-fi, dan olau llachar? Mae 'na rai, mi wn, ond dwi ddim yn un ohonyn nhw. Ac roedd y parciau yn rhy agored, rhy gyhoeddus ac yn rhy beryglus. Nid yn unig roedd 'na berygl o gael eich dal gan yr heddlu ond gwaeth na hynny oedd y perygl o gael eich dal a'ch waldio gan griwiau o lanciau sy'n erlid cwiars. Felly, bu'n rhaid i mi deithio tipyn i glybiau hoyw. Yno byddwn i'n cwrdd â phobl ac yn mynd 'nôl gyda nhw neu'n dod â nhw yn ôl i'm lletv i am y noson. Ond roedd hyn yn wahanol i Ferlin. Byddai'r bobl hyn eisiau trefnu cwrdd eto neu eisiau bod yn ffrindiau. Cawn i'r broblem hefyd fod ambell un ohonyn nhw'n meddwl ei fod e wedi cwympo mewn cariad â mi. 'Na'r union beth do'n i ddim eisiau —cysylltiadau, amodau, addewidion, teimladau personol.

Ond rhywsut neu'i gilydd daeth rhai o'r plant, y bechgyn hŷn, i wybod am 'y mywyd cymdeithasol, fel petai, ac wedyn eu rhieni ac wedyn awdurdodau'r ysgol a bu'n rhaid i mi adael. Ro'n i'n falch a gweud y gwir, o'n i'n casáu'r blydi ysgol a'r athrawon eraill a'r plant, yn enwedig y plant. Ces i swydd wedyn fel garddwr. Doedd dim arian yn y peth a gwyddwn na allwn i fod yn arddwr am weddill f'oes, ond am y tro ro'n i'n ddigon hapus.

19

Tua'r un adeg dechreuais i ddysgu Cymraeg o ddifri drwy dapiau a gwerslyfrau ac ambell raglen y gallwn ei chael ar y radio. Ro'n i wedi treulio tipyn o amser yng Nghymru ar 'y ngwyliau gyda fy rhieni pan o'n i'n blentyn ac ro'dd diddordeb 'da fi yn yr iaith ar ôl i mi'i chlywed hi pryd 'ny. Dod ar draws hen werslyfr mewn siop lyfrau ail law ddeffrôdd y diddordeb.

Yfodd Rhosier wydraid o sieri ar ei dalcen ac oedodd i feddwl am ychydig cyn ailafael yn ei sgwrs.

—Ro'n i wedi bod yn gweithio yn y gerddi am ychydig o fisoedd ac ro'dd 'y mywyd rhywiol wedi dirwyn i ddim. Ro'n wedi cael llond bol ar y clybiau hoyw— ro'n nhw'n rhy bell ac yn rhy ddrud—ac awn i ddim ar gyfyl y toiledau na'r parc. Dyna pryd y penderfynais y baswn i'n gosod hysbyseb yn y papur hoyw. Geiriais y peth yn ofalus iawn. Ro'n i eisiau cwrdd â phobl heb gwrdd â nhw, cyn belled ag roedd hynny'n bosibl. Roedd neges yr hysbyseb yn foel, yn gryno, ac mor uniongyrchol ag y gall y fath beth fod ym Mhrydain.

—Wnest ti ddim ystyried mynd i fyw ym Merlin neu Amsterdam?

—Do, ond ar ôl colli fy swydd doedd dim arian 'da fi. Ar wahân i hynny sylweddolais ym Merlin y baswn i'n byw bywyd rhywiol yn unig taswn i'n aros yno. Ro'n i eisiau bywyd ar wahân i hynny. Yn wir ro'n i eisiau bywyd rhywiol wedi'i ddidoli oddi wrth 'y mywyd bob dydd, nace yn ei orlenwi. Ym Merlin basai 'y mywyd wedi troi'n un helfa rywiol nes iddo 'y ngorchfygu. Ro'n i eisiau bywyd cyflawn a rhyw fel rhan fechan ond cyson a phwysig ohono, dan reolaeth, dan fy rheolaeth i yn llwyr. Wel, ces i bentwr o atebion i'm hysbyseb. Wyt ti eisiau clywed hanes rhai ohonyn nhw?

—Ydw.

—Er ei fod yn beryglus ro'n i bob amser yn trefnu mynd at y bobl a oedd wedi f'ateb. Do'n i ddim yn mo'yn i neb ddod ata i, do'n i ddim eisiau iddyn nhw gael gwybod dim amdana i. Ond roedd y posibilrwydd o berygl yn rhan o'r cyffro, rhan o'r swyn, fel yn y llefydd tywyll ym Merlin. Wna i ddim rhestru pob un o'r cymeriadau a'r pethau ddigwyddodd i mi, dim ond dethol y rhai mwya arbennig i ti.

Un tro ces i gyfeiriad tŷ yn nannedd rhes o dai teras. Cenais y gloch a daeth dyn tua hanner cant oed, wedi'i wisgo fel menyw, at y drws a'm gwahodd i mewn— roedd hi'n amlwg taw dyn oedd e, gyda llaw. Roedd y llenni i gyd wedi'u cau'n dynn ac ro'n i'n licio hynny. Roedd gwallt ffug melyn 'da'r dyn a minlliw pinc. Synhwyrais na fyddai'r ffenestri na'r llenni byth yn cael eu hagor. Er i mi aros i gael rhyw fath o ryw gyda'r person 'na, wnes i ddim aros yn hir iawn ac es i byth 'nôl. A dyna ddechrau cyfres o anturiaethau tebyg. Cawn lythyr a chyfeiriad, awn i'r lle, cawn gyfathrach rywiol ac anghofiwn am y digwyddiad. Do'n i ddim eisiau mynd 'nôl. Afraid dweud, ces i nifer o bobl â syniadau rhyfedd. Rhai'n gofyn i mi'u chwipio nhw, ambell un yn dymuno cael fy chwipio i. Nifer yn gorfod cael eu rhwymo mewn lledr neu rwber cyn dechrau—doedd hynny ddim yn beth anghyffredin. Rhai'n gorfod cyfuno rhyw a chyffuriau.

—Wnest ti gymryd cyffuriau?

—Am ryw reswm, naddo, wnes i ddim. Roedd un dyn yn mynnu cael ei glymu wrth ryw fframwaith metal a'i adael. Felly fe glymais i fe a'i adael. Ches i fawr o hwyl 'da hwnna. Un o'r pethau mwya od ac ych-a-fi oedd y dyn a ddechreuodd f'yta pecyn o fisgedi *digestive*, ac ar ôl eu hanner b'yta nhw poerodd y briwsion gwlyb yn siwps o'i geg dros fy stumog. Ei bleser ef oedd cael llyfu'r stwff oddi ar fy stumog i. Bu ond y dim i mi daflu i fyny y tro 'na, rhaid dweud.

Rhedais yr hysbyseb sawl gwaith yn y cylchgronau hoyw a ches i ugeiniau o gysylltiadau, yn llythrennol. Ar yr un pryd ro'n i wrth fy modd yn garddio ac yn dysgu Cymraeg. Ro'n i'n tanysgrifio i gylchgronau ac yn eu darllen gyda'r *Geiriadur Mawr* wrth fy mhenelin. Ro'n i'n gohebu gydag ambell Gymro er mwyn ymarfer sgwennu ac ro'n i wedi dod i nabod ambell Gymro a Chymraes alltud yn Lloegr oedd yn ddigon parod i wrando ar f'ymdrechion herciog ac i'm helpu gyda'r ynganiad. Dyna'r drefn am flwyddyn a hanner ac yna daeth y llythyr. Roedd hwn yn wahanol i bob ateb arall i'r hysbysebion. Roedd yr atebydd hwn wedi darllen fy meddwl, fel petai, yn hytrach na'r geiriau yn y papur. Roedd e'n chwilio am yr un peth â mi; mwy na 'ny, roedd e'n gwbod yn well na mi fy hun am yr hyn ro'n i'n chwilio amdano. Gallwn synhwyro rhywbeth arbennig am y llythyr hwn yn syth. Y papur, yr arogl, y teipio plaen, hyd yn oed. A'r iaith. Roedd y cyfan wedi'i eirio mewn ffordd mor amhersonol. Doedd y llythyrwr ddim yn gwneud unrhyw ymgais i'w gyflwyno'i hun; i'r gwrthwyneb, roedd e'n cadw hyd braich mewn ffordd ystrywgar iawn. Roedd ganddo fe rywbeth i'w gynnig, syniad; dyna fyrdwn y llythyr cyntaf. Mewn ateb cryno mynegais fy niddordeb. Yn yr ail lythyr gosododd y cyfan allan yn glir a syml. Y lle, yr amser a'r drefn. Byddai'r lle'n dywyll, byddai fe'n 'y nisgwyl yno, byddai'r drws ar agor. Doedd e ddim yn mynd i ddweud dim a do'n i ddim i fod i siarad chwaith. Yr unig amod oedd 'mod i'n gorfod gwisgo menig lledr bob amser. Fu ddim rhaid i mi feddwl am y peth. Roedd rhywbeth hudol a rhywiol am y gwahoddiad a oedd yn amhosibl i'w wrthsefyll. Prynais bâr o fenig lledr du. Roedden nhw'n gostus ond roeddwn i'n llawn disgwyl a chyffro afreolus. Prin y gallwn i aros tan yr amser penodedig. Fel mae'n digwydd, doedd y lle ddim yn bell iawn i ffwrdd o'm cartref ar y pryd—yn wahanol i rai o'r llefydd eraill ro'n i wedi ymweld â nhw. Roedd hynny'n gyfleus iawn. Daliais y bws. Wna i ddim disgrifio'r tŷ, dim ond dweud taw lle rhywun cymharol gyfoethog oedd e. Gwisgais y menig ac agorais y drws. Tywyllwch a distawrwydd ymhob man. Roedd 'y nghalon yn curo. Dechreuais ofni taw cynllwyn i'm llofruddio oedd hwn. On'd o'n i wedi bod yn dwp i ddod? Ar yr un pryd caledodd 'y nghala yn fy *jeans*. Ces i hyd i'r grisiau a'u dringo'n araf, ofalus. Ceisiais sawl drws— stafell wely wag, un arall, stafell 'molchi. O'r diwedd dod o hyd i stafell a rhywun ynddi, rhywun yn gorwedd ar wely yn 'y nisgwyl yn y tywyllwch. Symudais tuag ato a chyffwrdd ag ef gyda'r menig a theimlo'i fod yn noethlymun. Tynnais oddi amdanaf a gorwedd ar y gwely. Drwy'r lledr gallwn deimlo corff person hŷn ond corff iach, caled, heini. Doedd dim cusanu, dim sentiment, roedd y cyfan yn drefnus ac amhersonol. Ffwciais ef a chael fy ffwcio ganddo fe wedyn. Gwisgais a gadael a dal y bws tua thre. Dyna un o brofiadau rhywiol mwya cyffrous, trydanol o gyffrous, fy mywyd, gwell hyd yn oed na'r pethau gorau a ddigwyddodd i mi yn Amsterdam a Berlin. Y diwrnod wedyn wrth i mi balu yn y gerddi ro'n i'n dal i feddwl am y digwyddiad, yn ei droi drosodd a throsodd, yn ei ail-fyw yn 'y nghof, yn ei ailddramateiddio o hyd. Roedd rhan ohonof eisiau gwybod pwy oedd y person 'na—basai wedi bod yn hawdd cael gwybod, roedd y cyfeiriad 'da fi wedi'r cyfan, a gwyddai ef hynny. Ond roedd e wedi ymddiried na fyddwn yn torri'i ben. Ac roedd y dirgelwch yn rhan hanfodol o'r rhith. Taswn i'n cael unrhyw wybodaeth am y dyn basai hynny wedi chwalu'r swyn a difetha'r antur yn gyfan gwbl.

Yn wahanol i'r profiadau eraill ro'n i eisiau ail-fyw hwn, ro'n i eisiau mynd yn ôl. Fu ddim rhaid imi aros yn hir; o fewn ychydig ddyddiau daeth amlen ac ynddi gerdyn a dyddiad ac amser wedi'i deipio ar hwnnw. Es i yn ôl i'r tŷ ar y noson benodedig a gwneud yr un peth eto. Y tro hwnnw roedd ein cyfathrach yn well, yn galetach, yn fwy arbrofol, mentrus a nwydus. Ar ôl hynny deuai'r cardiau'n aml. Awn i'r tŷ ddwywaith, deirgwaith yr wythnos. Awn bob noson o'r wythnos weithiau. Pan ddeuai'r cardiau yn anamlach roedd y disgwyl am y nesa yn rhan o'r cyffro. Efallai y baset ti'n disgwyl i mi flino ar y drefn ond doedd dyfeis-garwch ein cyfathrach ddim yn caniatáu hynny— sylwer dwi ddim yn dweud 'caru', ond 'cyfathrach'. Beth bynnag, roedd dirgelwch y person 'na yn dwysáu wrth i mi fynd i ymweld ag ef yn amlach. Bob tro roedd y cwestiwn yn codi—pwy oedd e? Pam oedd e wedi trefnu pethau fel hyn? Mor ofalus, mor benodol. Ai fi oedd ei unig garwr neu a oedd ganddo rwydwaith o drefniadau tebyg? Neu ynteu eto, ai fy hysbyseb i oedd wedi rhoi'r syniad yn ei ben? Beth oedd ei oedran? Oedd e'n ddychrynllyd o hen, efallai? Yn hyll, yn anffurfiedig, yn greithiau i gyd? Hwyrach ei fod yn gofyn yr un cwestiynau amdana i. Beth bynnag, roedd y drefn yn gweithio'n berffaith. Rhyngom roedden ni wedi llunio cytundeb anysgrifenedig. Dim cwestiynau, dim gwybodaeth, dim ond y tywyllwch a'r menig, a dim rheolau ynglŷn â'r gyfathrach rywiol. Roedd e'n barod i wneud unrhyw beth ac roeddwn innau'n barod i gydsynio i'w ddymuniadau yntau hefyd. Dim siarad, yr unig iaith oedd iaith y dwylo ac iaith y corff.

Rhaid imi gyfaddef, doedd gen i ddim amcan i ble roedd y berthynas hon—nad oedd yn berthynas o gwbl—yn mynd, na dim syniad sut y deuai i ben—a fyddai'n ei ddatguddio'i hun, neu a fyddai'r cardiau yn peidio, neu a fyddwn i'n blino ar y gêm? Ond ar y pryd doedd dim ots 'da fi, ro'n i'n mwynhau fy hunan i'r eithaf. Doedd gan y berthynas ddim gorffennol, dim dechrau, fel petai, na dim dyfodol, dim diwedd, roedd hi'n bodoli mewn rhyw wagle rhywiol. Ond doedd dim twyll ynglŷn â hi chwaith, dim ond gonest-rwydd. Dim nonsens ynglŷn â charu'n gilydd na pherthyn i'n gilydd na bod yn ffyddlon, dim o'r rwtsh 'na. Ro'n i'n ei dderbyn e ac roedd e'n 'y nerbyn i. Dim beirniadaeth, dim gwerthoedd, dim syniadau ynglŷn â harddwch neu beidio. Yr unig atyniad oedd y dirgelwch llwyr ac ro'n i wrth 'y modd 'da hwnna. Roedd y cytundeb yn ateb fy holl anghenion rhywiol i.

Fel y dywedais i, dim ond rhan fach o'm bywyd oedd y pethau hyn i fod ac ro'n i'n gallu canolbwyntio ar bethau eraill nawr. Ro'n i'n cyflym dyfu'n Gymro. Ro'n i wedi dilyn cwrs lefel 'O' drwy'r post ac wedi bod yn ddigon lwcus i ddod o hyd i ddosbarth lefel 'A' yn ystod y dydd—do'n i ddim eisiau ymuno ag unrhyw weithgareddau gyda'r nos achos ro'n i eisiau i'm nos-weithiau fod yn rhydd am resymau amlwg. Doedd dim galwadau yn dod oddi wrtho fe i fynd i ymweld ag e dros y penwythnosau, felly, des i i Gymru ar ambell

gwrs Cymraeg—yn Nant Gwrtheyrn, Gregynog, Aber-
ystwyth a Llambed ac yn y Coleg hwn. Fesul wythnos
ro'n i'n dod yn rhuglach. Darllenais rai o nofelau a
storïau Kate Roberts, dramâu Saunders Lewis, *Monica*,
a darllenais y diweddariad o'r *Mabinogi* gan Dafydd a
Rhiannon Ifans. Darllenais y pethau diweddaraf hefyd:
Bingo!, Y Pla, Seren Wen ar Gefndir Gwyn a theimlwn
fod fy Nghymraeg yn magu cyhyrau. Yn anffodus, gan
'mod i mor awyddus i wella fy ngafael ar yr iaith
darllenais lawer o rwtsh hefyd, fel y nofelau 'na gafodd
ychydig sylw am eu cynnwys pornograffig, ond cefais
rheina mor ddwl a gwan nes i mi'u taflu nhw i ffwrdd
ar ôl i mi eu darllen—doedd eu Cymraeg ddim yn
arbennig chwaith.

Beth bynnag, roedd diwedd yr *affaire* yn anochel ond
doedd dim modd i mi rag-weld y ffordd y daeth i ben.

Oedodd Rhosier, edrychai'n nerfus eto. Yfodd y
diferyn olaf o'r sieri, wedyn cododd oddi ar y llawr
lle'r oedd e wedi bod yn eistedd i lenwi'r tecell trydan
i wneud coffi inni. Pan oedd y dŵr yn barod rhoes
gwpan i mi ac eistedd ar y llawr eto gyda'i gwpan ei
hun yn ei ddwylo. Cymerodd ddracht o'r hylif poeth
cyn ailafael yn ei naratif.

—Y noson 'ma es i'r tŷ yn yr oerni. Roedd hi'n rhewi.
Am unwaith roedd y menig yn gwbl ymarferol yn
hytrach na dim ond rhan o'r chwarae rhywiol.
Roeddwn i'n gorwedd gyda fy ffrind yn fy mreichiau.
Dwi'n cofio hynny'n glir—meddwl amdano fel ffrind,
meddwl am ei haelioni; ei haelioni gyda'i gorff,
haelioni'i gytundeb. Teimladau oedd yn peri gofid i
mi. A oeddwn yn dechrau magu agwedd emosiynol
tuag at y dyn hwn? Mewn geiriau eraill, a oedd y
diwedd yn dod? Yn sydyn canwyd cloch y drws, caniad

hir a dygn. Teimlwn ei gorff yn rhewi yn fy mreichiau. Canodd y gloch eto. Wedyn roedd 'na guro ffyrnig ar y drws. Teimlwn ei ffrâm yn cilio, fel petai'n ceisio crebachu i guddio. Aeth y gloch eto, a'r curo, a'r tro hwn clywyd llais yn gweiddi. Ond, wrth gwrs, roedd drws y tŷ heb ei gloi, doeddwn i byth yn ei gloi ar f'ôl, dim ond ei gau. Y peth nesa dyma sŵn traed yn dod lan y grisiau. Cododd fy ffrind o'r gwely a dechreuais chwilio yn y tywyllwch am 'y nillad a'u gwisgo'n gyflym. Yna agorodd y drws. Roedd golau ynghynn ar y landin. Safai dyn ifanc yn ei arddegau yn y drws. Roedd e'n gwisgo *jeans* a siaced denim. Ac am y tro cyntaf gwelais y dyn. Gŵr tenau, penfoel, yn ei chwe-degau efallai; dyn cyffredin. Chwalwyd swyn y dirgelwch yn syth. Aeth at y bachgen a cheisio dal pen rheswm 'da fe. Roeddwn i wedi gwisgo'n sydyn wrth geisio amgyffred y sefyllfa, beth oedd asgwrn y gynnen? Roedd y geiriau'n rhy gyflym a chas a gwyllt i mi ddal y cyfan. Ond deallais mai *rent boy* oedd hwn yn gofyn am arian, yn siarad am gyffuriau, ac roedd angen arian arno ar unwaith gan fygwth y dyn. Mor rhyfedd oedd clywed llais y dyn hwnnw am y tro cyntaf ar ôl yr holl nosweithiau o dawelwch dieiriau—clywais ef yn gwrthod y llanc yn dawel ac yn gadarn. Roedd e wedi rhoi arian, meddai, a doedd e ddim yn mynd i roi mwy. Codais a gwthio fy ffordd heibio i'r ddau. Rhedais lawr y grisiau a sefyll ar y gwaelod yn y cyntedd. Roedd y ddau'n ymrafael ar ben y grisiau.

Distawodd Rhosier. Cuddiodd ei wyneb yn ei ddwylo. Ofnais na fyddai'n gallu cario ymlaen a'i fod yn mynd i dorri lawr. Ond gorfododd ei hunan i ddal ati.

—Gwelais fflach o fetal. Tynnodd y llanc gyllell o'i siaced. Ar hynny magodd 'y nhraed adenydd—allan drwy'r drws i'r tywyllwch. Wnes i ddim chwilio am fws ond rhedais drwy'r nos yr holl ffordd i'm llety. Wyddwn i ddim a oedd y llanc wedi lladd y dyn neu beidio, ond roedd yr awyrgylch yn rhy beryglus i sefyll o gwmpas. Ces i fraw. Cyfogais ar y ffordd a chyfogais eto yn fy stafell nes bod 'y nghyfog yn wag a dal i gyfogi wedyn. Roedd y dychryn bron yn ormod i'w ddal. Ofnwn 'mod i'n mynd i golli 'mhwyll. Deuai'r olygfa yn ôl o flaen fy llygaid o hyd ac o hyd. Gwyddwn y dylswn gysylltu â'r heddlu'n syth rhag ofn bod y bachgen wedi gwneud niwed i'r dyn—ei ladd e efallai. Ond allwn i ddim rhesymu'n glir. Yfais botel gyfan, bron, o fodca a disgyn yn anymwybodol ar y gwely yn fy stafell. Chysgais i ddim, ro'n i'n dal i ail-fyw'r digwyddiad mewn hunllef ar ôl hunllef a phob tro roedd yr olygfa yr un mor glir â'r eiliad y digwyddodd. Dihunais yn y bore bach a chyfogi'r ddiod. Ymolchais mewn dŵr oer a phenderfynu yr awn i'n syth at yr heddlu. Ond prin y gallwn gerdded. Nid yn unig ro'n i'n rhy wan ond roedd 'y nghoesau'n crynu o hyd. Prynais baned o goffi du mewn caffé ac ar ôl ei yfed cliriodd fy meddwl ychydig. Gadewais y caffé gan fod gwynt y brecwastau, yr wyau a'r selsig a'r bacwn yn codi pwys arna i. Allan yn yr awyr agored ar fy ffordd i orsaf yr heddlu daeth nifer o gwestiynau i'm meddwl i. Sut ro'n i'n mynd i esbonio fy mhresenoldeb yn y tŷ y noson honno? Pwy oedd y dyn? Beth oedd natur 'y mherthynas ag ef? A allwn i ddisgrifio'r bachgen yn ddigon da? A fyddwn i'n sicr o'i adnabod eto? Do'n i ddim yn bell o swyddfa'r heddlu pan benderfynais yr awn i gaffé arall. Daethai chwant bwyd enbyd arna i erbyn hynny. Ces i ddau wy ar dost a choffi arall ac ro'n i'n teimlo'n well eto.

Edrychais ar y cloc ar y wal. Roedd hi bron â bod yn amser i mi fynd at 'y ngwaith yn y gerddi. Ar y llaw arall gallwn fynd at yr heddlu, dweud yr hanes, cyffesu'r cyfan, bod yn onest ynglŷn â'r berthynas rhyngof fi a'r dyn. Ond os oedd y llanc wedi'i ladd e ac wedi diengyd a fyddai'r heddlu'n debygol o gredu fy stori? Dim gobaith, baswn i dan amheuaeth yn syth. Beth bynnag, do'n i ddim yn gallu bod yn siŵr bod y dyn wedi cael ei ladd. Felly es i'r gerddi i weithio fel arfer.

Mae dyn yn ymwybodol o fywyd a meidroldeb mewn gardd. Nid yn unig yr hen ystrydebau ynglŷn â phethau'n marw yn y gaeaf ac yn atgyfodi yn y gwanwyn a rhyw rwtsh fel'na sy'n peri i chi fod yn ymwybodol o fywyd a marwolaeth, ond harddwch pethau. Y profiad o'r harddwch a'r wybodaeth na allwch chi gario'r profiad hwnnw ar ôl i chi farw. Mae'r profiad yn anhraethol hefyd ac allwch chi ddim ei rannu â neb arall. Ond mewn gardd mae dyn yn anghofio am bethau eraill, mae'n gweld pethau mewn cydbwysedd hefyd, neu mae'r effaith y mae garddio yn ei gael arno yn adennill ei deimlad o gydbwysedd. Yn baradocsaidd, mae garddio'n beth cyntefig a gwâr ar yr un pryd. Un o'r pethau cyntaf a wnaeth pobl oedd dysgu sut i drin y tir. Ymgais i ddofi natur. Mae garddio'n beth naturiol ac yn annaturiol ar yr un pryd hefyd. Yr elfennau yw pridd, baw, dŵr a phethau organig, ac ar y rhain mae'r garddwr yn ceisio gosod trefn a chynllun a rheolaeth, mae'n ceisio pennu ffiniau a mynegi'i bersonoliaeth. Ond dyw'r ardd fel y mae hi ar y pryd byth yn ei fodloni. Mae e'n aros i rywbeth arall ddigwydd o hyd—rhywbeth i dyfu ac wedyn i flodeuo ac wedyn i gael ei ddisodli gan

29

blanhigyn arall. Mae'r garddwr yn edrych ymlaen ac ymlaen o hyd at ryw ardd ddelfrydol yn ei ddychymyg. Ond dyw e byth yn cael yr ardd honno, mae honno bob amser yn y dyfodol, jyst y tu hwnt i'w gyrraedd.

Mae'n wir bod amser yn lliniaru popeth. Ar ôl diwrnod o waith ymhlith y planhigion a'r blodau a'r chwyn roedd fy mraw wedi lleihau, roedd y profiad wedi cilio ychydig yn y cof; er bod erchylltra'r peth yn dal i effeithio arna i, ro'n i'n barod i asesu'r busnes gyda mwy o wrthrychedd. Do'n i ddim yn euog. Do'n i ddim wedi lladd neb. 'Ond,' meddai llais 'y nghyd-wybod, 'ti'n gwbod be ddigwyddodd. Mae gwybodaeth 'da ti fyddai'n cynorthwyo'r heddlu i ddal llofrudd, efallai.'

'Mae peryg i mi gael 'y nghyhuddo ar gam,' atebais y llais yn 'y mhen. 'Mae'n digwydd o hyd ac o hyd a phobl ddieuog yn cael eu carcharu am oes tra bo'r drwgweithredwyr go-iawn yn rhydd i wneud yr un peth eto. Mae'r heddlu'n llawn rhagfarnau. Taswn i'n dweud fy stori i wrthyn nhw basen nhw'n 'y ngharcharu yn ddiymdroi.'

'Beth am ffonio'r heddlu o flwch ffôn a rhoi'r stori iddyn nhw heb adael d'enw?'

Roedd 'na synnwyr yn y syniad hwn'na ac fe apeliodd ata i'n syth. 'Ond beth yw'r pwynt?' meddwn i wrth y llais. 'Dwi ddim yn gwybod i sicrwydd fod rhywun wedi cael ei ladd.'

'Beth am fynd yn ôl i'r tŷ i wneud yn siŵr?' gofynnodd y llais. Ond gwrthodais yr awgrym, dyna beth mae'r llofrudd i fod i'w wneud, mynd yn ôl, dyna sut maen nhw'n cael eu dal. Baswn i'n siŵr o 'bennu mewn cell wedyn.

Yn lle parhau y sgyrsiau gyda lleisiau yn fy mhen a wnâi

i mi ofni 'mod i'n dechrau colli 'mhwyll, eisteddais o flaen y teledu. Fflachiodd y lluniau o flaen fy llygaid a'r sŵn yn gefndir i'm meddyliau.

Ond rhywbryd daeth y newyddion lleol ymlaen. Gwelais y tŷ gyda'r heddlu o'i gwmpas yn yr ardd. Llun o ddynion yn cario corff wedi'i orchuddio ar stretsiar. Disgrifiad o'r dyn a laddwyd: gwrywgydiwr, ei enw, ei oedran a'i waith, llun ohono. Roedd yr heddlu yn chwilio am ddyn a welwyd yn rhedeg lawr y stryd yn oriau mân y bore. Rhoddwyd disgrifiad ohono: ei daldra, lliw ei wallt, ei ddillad. Y fi oedd y dyn hwnnw.

Gwrandewais ar y newyddion lleol a chenedlaethol ar y radio a'r teledu, ar bob adroddiad am weddill y noson honno. Teimlwn fod rhyw grafanc anferth yn cau amdanaf. Bob tro y soniwyd am y dyn a laddwyd dywedid taw gwrywgydiwr oedd e, fel petai hynny'n dweud y cyfan amdano, ac fel petai'n haeddu cael ei ladd. Dros y dyddiau nesaf gwyliais y diddordeb yn y stori yn oeri. A gweud y gwir, ychydig o sylw a roddwyd iddi. Pan fo plentyn yn cael ei ladd mae'r stori'n llenwi'r penawdau a gelwir y llofrudd yn anghenfil. Pan fo dyn hoyw'n cael ei ladd prin yw'r cydymdeimlad a'r awgrym yw ei fod yn haeddu cael ei ddileu. Gwyddwn nad oedd yr heddlu'n poeni llawer nac yn gweithio'n galed iawn i ddod o hyd i'r llofrudd ac y gwnâi unrhyw un y tro, unrhyw un y gellid ei gysylltu â'r drosedd. Ro'n i mewn peryg, felly, ac ni thalai unrhyw onestrwydd. Roedd rhywun wedi 'y ngweld i—o un o'r tai cyfagos, mae'n debyg; rhaid 'mod i wedi tynnu sylw rhyw aderyn y nos wrth i mi redeg am fy mywyd drwy'r strydoedd y noson erchyll honno. Taswn i ond wedi cerdded, efallai na fasai neb wedi sylwi arna i. Ond roedd hi'n rhy hwyr i hynny. Beth o'n i'n mynd i'w wneud? Daeth yr ateb i mi ar ôl noson arall o gwsg. Cysgais er gwaethaf 'y ngofidiau oherwydd roedd 'y nghorff a'm meddwl wedi blino'n llwyr. Yn y bore paciais fy mhethau, ffarweliais â'r gerddi a gadewais Loegr, 'awn parth â Chymru' meddwn i. Daliais drên. Yn Amwythig ffoniais yr heddlu a dweud wrthyn nhw am chwilio'r ardal am y llanc a welswn a rhois ddisgrifiad manwl a'm holl wybodaeth iddyn nhw, popeth ond f'enw. A phan gyrhaeddais y wlad hon ro'n i'n Rhosier Watcyn. Newidiais f'enw, fy iaith, fy niwylliant, fy mywyd.

—Felly, dyna pam rwyt ti wedi dy drwytho dy hunan mewn Cymreictod, iefe, er mwyn cuddio?

—Yn rhannol, ie. Ond cofia, roedd diddordeb 'da fi yn yr iaith a'r wlad cyn i mi ddod 'ma dan yr amgylchiadau anffodus hyn. Ond ymddangosai fel dewis naturiol i'w wneud. Ro'n i wedi paratoi'r ffordd heb rag-weld pam.

—Oes rhaid i ti guddio o hyd? Be ddigwyddodd ynglŷn â'r llofruddiaeth a'r llanc 'na?

—Dwn i ddim. Un noson, pan o'n i'n fyfyriwr yma gwelais ddramateiddiad o'r hanes ar y rhaglen *Crimewatch*. Roedd hyn tua dwy flynedd ar ôl i mi ddod i Gymru i fyw a dechrau ar 'y ngradd; doedd yr heddlu ddim wedi llwyddo i ddatrys y dirgelwch. Gwelais y tŷ lle'r arferwn fynd dan gochl y nos, gwelais actor yn chwarae rhan y dyn—dysgais fwy amdano, am ei fywyd, ei hanes a'i bersonoliaeth o'r rhaglen honno na'r holl nosweithiau y treuliais yn ei gwmni. A gwelais actor yn cymryd fy rhan i, yn rhedeg o'r tŷ i lawr y stryd. Dwi ddim wedi gwylio'r rhaglen honno byth eto. Dwi wedi meddwl am y noson dyngedfennol

32

honno sawl gwaith, afraid dweud. Be fasai wedi digwydd taswn i wedi aros? A faswn i wedi gallu achub y dyn, neu a faswn i wedi cael 'y nhrywanu gan y llanc a'm lladd hefyd?

Teimlwn yn anghyffforddus a chodais i adael.

—Ti ddim yn f'amau i, nag wyt ti? gofynnodd Rhosier. Ti ddim yn credu mai fi laddodd y dyn 'na nag wyt ti? Ti'n credu 'ngair i, on'd wyt ti?

Doeddwn i ddim wedi'i amau am eiliad nes iddo ddweud hynny. Ond fe wnes i fy ngorau i'w argyhoeddi fy mod i'n coelio bob gair o'r stori, ac wedyn esgusodi fy hunan am ei bod mor hwyr.

Roedd mwy na digon gen i i gnoi cil arno. Wyddwn i ddim faint oedd yn wir a faint oedd yn ddychymyg. Roedd yr holl anturiaethau rhywiol yn fy nharo fel ffantasïau, breuddwyd gwrach, er i mi guddio fy nrwgdybiaeth pan oedd Rhosier wrthi yn eu hadrodd. Yna cefais y syniad ofnadwy fy mod i mewn sefyllfa beryglus ar ôl clywed hanes y llofruddiaeth. Onid oedd rhyw gyfraith yn erbyn cadw gwybodaeth fel'na? Oni ddylwn i fynd at yr heddlu? Ond roeddwn i wedi rhoi fy ngair i Rhosier y byddwn i'n cadw'r gyfrinach. Beth bynnag, doeddwn i ddim yn siŵr fy mod i'n credu'r stori honno chwaith. Mae pobl yn llunio pob math o chwedlau i wneud i'w bywydau diflas swnio'n ddiddorol.

Dwi ddim yn cofio sawl diwrnod aeth heibio cyn i mi fynd i alw arno eto, ond ches i ddim ateb pan gurais ar ei ddrws.

—Mae fe wedi mynd, meddai Mrs Jones ei landledi.

—I ble?

—'Smo fi'n gwpod. Ond sdim ots 'da fi, gan ei fod e wedi talu'i rent.

—Oes unrhyw reswm pam ei fod wedi gadael?

—O's, y fi wedodd wrtho fe i fynd. Ond peidiwch â gofyn pam, wi ddim yn mo'yn siarad am y peth, 'nenwetig ar stepen y drws fel 'yn.

Drwy rwydwaith o gysylltiadau—clecs, mewn geiriau eraill—dysgais fod Mrs Jones wedi mynd i stafell Rhosier un bore i lanhau a'i gael *in flagrante delicto* gyda dyn arall. Rhoes hi ychydig o oriau iddo yn unig i hel ei bac. A dwi ddim wedi clywed gair oddi wrtho ers y diwrnod hwnnw. Cysylltais â'r heddlu (yn betrus o gofio'r peryglon) i ddweud ei fod e wedi mynd ar goll. Ond prin oedd eu diddordeb, nid eu gwaith nhw oedd hela dynion yn eu tridegau; roedd ganddo hawl i symud i ffwrdd, medden nhw. A dyw e ddim wedi cysylltu â mi. Dwi'n siŵr ei fod e wedi gadael Cymru am byth ac wedi newid ei enw eto—wrth gwrs, nid Rhosier Watcyn oedd e'n wreiddiol a ddysgais i ddim beth oedd e. Mae tair damcaniaeth gen i ynglŷn â beth ddigwyddodd iddo: aeth e yn ôl i Loegr neu i Ferlin neu Amsterdam; roedd yr heddlu ar ei drywydd; neu, a dyma'r un gwaethaf, daeth y llofrudd o hyd iddo. Ond dwi ddim yn credu hynny. Beth bynnag, mae'n 'ddiwedd amlddewis'. Liciwn i wybod pam yr aeth i ffwrdd yn syth ar ôl dweud yr holl bethau 'na wrtho i. Hwyrach ei fod wedi sylweddoli taw cyfrinach wedi'i chyhoeddi yw cyfrinach wedi'i rhannu. Mae'n dipyn o golled i'n diwylliant ni. Ys gwn i beth ddigwyddodd i'w nofel?

Mewn cangen fawr o W. H. Smith yn ddiweddar, lle'r oeddwn i wedi mynd i gysgodi rhag y glaw, ar y silffoedd *True Crime* gwelais gyfrol gyda'r teitl *Unsolved British Murders: Recent Cases* a'i phrynu. Wel, mae gen i ddiddordeb newydd.

Ymyl

Claddu Wncwl Jimi

Y Dyddiadur

Mam newydd ffonio i ddweud bod Wncwl Jimi wedi marw ar ei wyliau yn Amsterdam. Roedd Nhad a Mam wedi erfyn arno i beidio â mynd ond roedd e'n benderfynol ac aeth e'n syth ar ôl beirniadu ar y stori fer yn yr Eisteddfod. Er ei fod yn saith deg saith roedd ei farwolaeth yn hollol annisgwyl. Nid yn unig roedd e'n berffaith iach ond roedd rhyw asbri ifanc yn perthyn iddo bob amser, roedd e'n 'myned yn iau wrth fyned yn hŷn'. Ac roedd e'n gymaint rhan o'n bywydau ni—mae'n elfen o'm mytholeg bersonol i. Roedd ei bresenoldeb a'i bersonoliaeth ynghlwm wrth bopeth o bwys sydd wedi digwydd i mi. Er nad oedd yn ewythr go-iawn roedd e'n rhan o'r teulu. Mwy na hynny hyd yn oed; ffrind i ni i gyd, ffrind Mam a Nhad a'n ffrind ninnau. Arferai chwarae gyda ni pan oedden ni'n blant, nid fel oedolyn arall yn ceisio difyrru a dysgu (a rheoli) plant, eithr fel plentyn arall. Roedd e'n gyfaill annwyl, yn ddirprwy dad-cu ac yn dad cyffeswr. Teimlwn 'mod i'n gallu siarad am unrhyw-beth dan haul gydag Wncwl Jimi. Awn ato gyda fy mhroblemau yn aml pan deimlwn nad oedd modd i mi droi at fy rhieni—er mor agos atyn nhw ydw i. Roedd e yno drwy 'mhlentyndod a'r arddegau anodd, yr arholiadau a'm cyfnod yn y Coleg (fy hoff ddarlithydd). Pwy oedd yno i'm cysuro a'm hargyhoeddi nad oeddwn i'n fethiant ac nad oeddwn i'n dwp pan gefais ddau-dau (a finnau wedi gobeithio cael dosbarth cyntaf i wneud i Wncwl Jimi deimlo'n falch ohonof) ond Wncwl Jimi. Roedd yn dyst i 'ngharwriaeth gyda Bryn ac yn westai anrhydeddus yn ein priodas. Roedd e'n

rhan annatod o fframwaith fy myd. Nawr mae'r ffram-
waith hwn wedi torri a'm byd yn anghyflawn. Dyna fy
meddyliau ar hyn o bryd ac ymgais i ddod i delerau â'r
golled fydd y nodiadau hyn. Rhyw fath o therapi—ac
mae hyn eto yn dilyn cyngor Wncwl Jimi—'Os oes
problem 'da ti,' meddai, 'sgrifenna amdani. Dyddiadur
yw'r moddion gorau i'r enaid clwyfus, unig.' Wel,
dyna gyflwr f'ysbryd heno—methu credu na fyddaf yn
gweld Wncwl Jimi byth eto. Mae'n teimlo fel petai
rhywun wedi gwthio rhaw haearn oer i'm stumog a
phalu darn ohonof i ffwrdd.

Awst 15

Daeth Bryn a finnau tua thre ddoe. Daethai corff
Wncwl Jimi yn ôl a bu'n rhaid i rywun fynd i ddweud
taw efe oedd yr ymadawedig. Ni allai Nhad fynd
oherwydd ei *angina* ac ni allai Mam wynebu'r peth.
Doedd Huw ddim wedi cyrraedd adre eto. Felly y fi
oedd yn gorfod mynd i'r mortiwari. Daeth Bryn gyda
mi i'm cynnal, wrth gwrs. Ond ni oedd yr unig bobl
debyg i deulu oedd ganddo yn y byd. Daeth i'm cof
lawer o bethau a ddywedasai Wncwl Jimi am fod yn
unig blentyn i fam a thad oedd yn unig blant eu
hunain. Prin oedd ei dylwyth ar wahân i rai perthnasau
pell o ran gwaed a daearyddiaeth a doedd e ddim eisiau
cysylltu â nhw. Prin hefyd oedd ei ffrindiau, er ei fod
yn ddigon adnabyddus, wrth gwrs, ond roedd e'n
berson swil, encilgar.

Felly dyna fi yn y lle ofnadwy yna yn gorfod edrych
ar y corff a dweud, ie, mai Dr James Tomos Powel
oedd e. A phan dynnwyd y llen oddi ar ei wyneb
roeddwn i'n ei adnabod yn syth. Ond ces i sioc; nid

oherwydd ei fod yn farw ac yn wyn ac yn oer ond
oherwydd nad oedd e wedi eillio. Doeddwn i ddim
wedi'i weld e fel'na o'r blaen. Roedd Wncwl Jimi bob
amser mor daclus gymen a pherffaith lân, fel pìn mewn
papur. Mor ofalus o'i ymddangosiad oedd e nes bod y
peth yn obsesiynol, bron. Roedd Mam a finnau wedi
hen arfer â'r peth—'Ody 'nhei i'n syth? O's 'na *dandruff*
ar 'yn sgwyddau? Dyw'r sgidiau 'ma ddim yn hollol
lân, nag y'n nhw?' Roedd e'n rhan o'i bersonoliaeth.

Heddiw mae'n gorwedd yn ei arch ym mharlwr
Nhad a Mam, nid yn Aneddle. Y ni sy'n ei gladdu fe.
Edrychai mor daclus ag arfer. Ac mor llonydd. Gwawl
o fanblew gwyn o gwmpas y corun moel; yr wyneb hir
addfwyn, y crychau o gwmpas y llygaid a ddynodai
ddireidi a dysg, cysgod o wên ar y gwefusau, y trwyn
pendefigaidd. Ar ei fron, y dwylo y gafaelaswn ynddynt
fel plentyn ac a ddeuai â theimlad braf, cysurus i mi
wrth gyffwrdd â nhw—neu wrth i mi deimlo'u
cyffyrddiad—dwylo caredigrwydd. Ond doedd y peth
oedd yn Wncwl Jimi ddim yno. Roedd Wncwl Jimi
bob amser yn llawn bywyd. Dim ond plisgyn a
orweddai yn yr arch. Bydd e'n cael ei gladdu yfory.
Mor gyflym. Oes hir ac yna mae popeth drosodd.

Awst 16

Yr angladd. Roedden ni wedi disgwyl llawer o bobl
ond ddim cymaint. Roedd y byd llenyddol Cymraeg
yno i dalu'i deyrnged olaf i'r llenor swil, yr ysgolhaig
hynaws, y nofelydd diymhongar, y darlithydd a'r athro
cyfeillgar. Y dyn cyhoeddus anghyhoeddus. Ond Wncwl
Jimi i ni. Daeth cannoedd i'r gwasanaeth coffa yn yr
hen gapel, Bethania, lle bu Wncwl Jimi'n aelod mor

ffyddlon a chyson ar hyd ei oes. Soniwyd amdano wrth yr holl enwau a llysenwau oedd ganddo; Dr James Tomos Powel (James Thomas Powell yn wreiddiol — newidiodd ei enw canol a gollwng yr 'l' yn y Coleg pan oedd e'n fyfyriwr), JTP i lawer, Jim, Jimbo, Jim Tom i gyfeillion, Dr Powel, Dr Jim, Jimi, Jimi Pŵal a Jimi Aneddle i'w gymdogion. Ond soniodd neb am ein henw ni arno, Wncwl Jimi, a chorddai rhan ohonof i floeddio'r llysenw anwes ma's—tra ymfalchïai adran arall ohonof yn ein cysylltiad agos personol, breintiedig. Enwau cyhoeddus oedd yr enwau eraill i gyd ond dim ond 'y mrawd a finnau a gâi'i alw yn Wncwl Jimi.

Eisteddais i a Mam a Nhad a Huw a Josephine a Bryn yn y rhes flaen yn ein dillad du. Edrychai Nhad mor welw a thost, poenwn yn arw amdano. Bu yntau ac Wncwl Jimi mor agos, yn enwedig dros yr ugain mlynedd diwethaf. Dywedasai Wncwl Jimi wrtho i sawl gwaith 'Dwi'n edrych ar dy dad fel mab i mi' ac ychwanegai, 'ac mae dy fam wedyn wedi bod mor garedig yn 'y nghroesawu ac yn 'y nerbyn i ac yn edrych ar f'ôl i nawr 'mod i'n dechrau mynd yn hen. Mae hi'n angyles, dy fam.' Ond roedd Mam a Nhad yn wirioneddol hoff ohono, yn meddwl y byd ohono, ac roedd eu galar yn amlwg ac yn boenus i'w weld. Nhad wedi'i sigo, Mam fel cysgod ohoni hi'i hunan yn ceisio'i amddiffyn rhag y cydymdeimlwyr niferus a fynnai siglo'i law; ofnem y byddai'r gladdedigaeth yn ormod iddo ond roedd e'n benderfynol y deuai.

Eisteddai Huw gyda Josephine ar y dde i mi a Bryn. Huw tawel a pharchus. Fel meddyg mae e'n fwy cyfar-wydd â galar a marwolaethau na'r rhan fwyaf ohonon ni, ac eto gwyddwn nad oedd y golled yn golygu cymaint iddo fe ag i'm rhieni a finnau. Nid nad oedd yn hynod hoff o Wncwl Jimi, yn enwedig pan oedd e'n grwtyn, roedd e fel cynffon i'r henwr. Ond pan gyrhaeddodd Huw ei arddegau daethai newid anesboniadwy i'w perthynas. Oerodd y cyfeillgarwch ac aethon nhw i ymddwyn braidd yn ffurfiol tuag at ei gilydd. Credai Mam taw oherwydd i Huw ddechrau ymddiddori mewn gwyddoniaeth a meddygaeth yn benodol, byd tywyll iawn i Wncwl Jimi, y cychwynnodd y dieith-rwch. A lledodd yr agendor anweladwy pan aeth Huw i Goleg yn Lloegr. Roedd yr oerni—os oerni hefyd—yn achos peth tristwch i mi. Ar y naill law, gan fy mod mor hoff o'r ddau ohonyn nhw ac yn dymuno'u gweld nhw'n mwynhau cwmni'i gilydd—ar y llaw arall, teimlwn ychydig o genfigen tuag at Huw pan oedd ef ac Wncwl Jimi yn gymaint o gyfeillion mynwesol pan oedd 'mrawd yn grwtyn. Y fi ddisodlodd Huw ac a ddaeth yn gannwyll llygad f'ewythr. Wedi dweud hynny, ni fu unrhyw ddrwgdeimlad na geiriau croes erioed rhwng Huw ac Wncwl Jimi—ni allai neb ffraeo gyda dyn mor addfwyn ac amyneddgar. Ni ddeuai cyfeillgarwch yn rhwydd i'r ddau, dyna i gyd.

Darllenwyd darnau o unig nofel Wncwl Jimi, *Y Gelli*, darnau o'i storïau byrion, ei ysgrifau a'i atgofion poblogaidd. Roedd y darllenwyr yn gynfyfyrwyr iddo, a phob un yn actor a darlledwr proffesiynol adnabyddus. Mor hyfryd oedd y geiriau, saernïaeth a swyn y brawddegau. Penderfynais yr awn yn syth at ei lyfrau i ddarllen pob un ohonyn nhw o glawr i glawr eto ar ôl mynd tua thre. Coleddwn ei weithiau, trysorwn ei eiriau. Yn ei lên byddai'i syniadau a'i feddwl yn siarad am byth. Dyna'r gwir James Tomos Powel. Onid oedd Wncwl Jimi wedi dweud iddo roi'i hunan yn gyfan gwbl yn ei waith?

Heddiw darllenwyd ewyllys Wncwl Jimi yn Aneddle. Roedd yno nifer o bobl oherwydd, fel y disgwylid, roedd Wncwl Jimi yn berson eithriadol o hael.

Gadawodd £5,000 i'w arddwr Roy Jones gyda'r geiriau, 'Cefais bleser anhraethol yn hen ardd fy mam ac ni fuasai hynny yn bosibl yn y blynyddoedd diwethaf oni bai am ofal a medrusrwydd Roy.' Gadawodd ei hen gloc cas hir i'w gyn-gydweithiwr yr Athro Emeritws Harri Lewis, 'am ei genfigennu dros y blynyddoedd'. Ei gasgliad o recordiau o gerddoriaeth glasurol i gydweithiwr a chynfyfyriwr iddo, yr Athro Gwilym Humphreys-Davies, 'cofion am oriau melys o gyd-wrando ac o gydaruchel i seiniau'r meistri hyn'. Tair mil yr un i blant (tri ohonynt) Dr Eifion Reynolds. Bwrdd coffi a gawsai ar ôl Saunders Lewis i Cyffin Arnold ac Angharad Meinir, yr actorion. Roedd yr ewyllys mor ddifyr a chreadigol ag un o'i destunau llenyddol ei hun. I Lady Joan, gweddw ei ffrind, y diweddar Syr John Meredydd, gadawodd 'dim byd; y mae digon o arian gyda hi'. Aeth tair mil i Huw a Josephine. Tri darn eistedd (newydd, bron) i Mostyn ac Annie Hughes, y siop gornel. Dwy fil i Gapel Bethania, 'roedd y lle'n golygu llawer i Mam ac ni fuasai fy mywyd yr un heb ei ddylanwad'. Dwy fil i'r Blaid, dwy fil arall i Gymdeithas yr Iaith, dwy fil i'r Eisteddfod a dwy fil i'r Gwyrddion, 'credaf fod hynny yn dweud y cyfan am fy naliadau'. 'I'm hen Adran' gadawodd ystol a gawsai gan Dr Kate Roberts, 'a'm hen gartref, cartref Mam a Nhad, sef "Aneddle" (er gwaethaf y sillafiad dadleuol), i'w gadw fel y mae ac i'w ddefnyddio fel lle i lenorion gael aros yno am gyfnodau i ymneilltuo i lenydda'. I Mam a Nhad gadawodd £60,000 'am eu caredigrwydd dihafal ac am edrych ar f'ôl yn ddirwgnach ym mlynyddoedd fy henaint'. Cefais innau'r cyfrifoldeb (gair Wncwl Jimi) o edrych ar ôl Aneddle a gwneud yn siŵr bod y Coleg yn gwneud defnydd da ohono er coffadwriaeth iddo a hefyd, 'Fy holl lyfrau a phapurau. Gŵyr Sioned yn union beth i'w wneud'. A phan glywais y cymal olaf yna fe 'ddychrynais drwy fy nhin', chwedl Goronwy Owen. Onid oedd Wncwl Jimi wedi trafod y mater gyda mi sawl gwaith, wedi siarad amdano'n aml? Oedd, ond nid oeddwn i wedi'i gymryd o ddifri oherwydd bob tro y dywedai 'ar ôl i mi fynd, 'merch i' ni allwn i ddychmygu'r peth na chredu yn ei feidroldeb. Roeddwn i wedi gwrando heb ystyried.

Awst 22

Dw i wedi cael amser i feddwl ond dw i ddim haws. Dw i wedi trafod y peth gyda Bryn—chefais i fawr o help ganddo fe. 'Dyna ddymuniad d'ewythr,' meddai fe, ''na beth oedd e'n mo'yn, 'na beth oedd e wedi gofyn i ti 'neud, ac roedd e'n disgwyl i ti 'neud e. 'Oedd e'n dy drystio di'n llwyr, mwy na neb arall yn y byd.' A chyda'r geiriau calonogol 'na, golchodd ei ddwylo ar y mater. *Typical* dyn, yn falch nad yw e'n gorfod gwneud dim. 'Mae'n golygu lot o deithio'n ôl a 'mlaen i Aneddle,' meddwn i. 'Dw i'n deall hynny,' meddai fe. 'Ac mae'r ysgol yn dechrau 'to, he' fo'n hir,' meddwn i. 'Ond mae'r penwythnosau 'da ni (sylwer ar y "ni" yna) a gwyliau Nadolig a'r Pasg a'r haf 'to.' 'Sdim gobaith 'neud dim yn ystod gwyliau 'Dolig, fel ti'n gwbod,' meddwn i. Ac wrth i mi feddwl am y Nadolig neidiodd y dagrau i'm llygaid eto a'r boen i'm llwnc. Deuai Wncwl Jimi i'n tŷ ni—tŷ Mam a Nhad—bob 'Dolig. Roedd e'n rhan annatod o Ŵyl y Geni. Daw'r dagrau i'm llygaid bob tro y meddyliaf am Wncwl Jimi nawr. Ymddangosodd gwyliau'r haf yn bell i ffwrdd ac aeth saeth drwy fy mron o feddwl am yr Eisteddfod heb Wncwl Jimi. Doeddwn i ddim eisiau wynebu'r dyfodol yna, dim mwy na'r 'cyfrif-oldeb' (chwedl yr ewyllys) o orfod mynd i Aneddle a dechrau rhoi trefn ar y papurau. 'O's 'na sut gymaint o waith 'na?' gofynnodd Bryn, yn hollol ddiniwed. 'Fydd hi'n cymryd blwyddyn?' 'Wyt ti wedi gweld ei bapurau?' meddwn i, yn dechrau colli amynedd. 'Ti'n gwbod yn iawn taw dim ond ti a dy rieni ac ambell hen groni oedd yn cael mynd i Aneddle,' meddai Bryn. 'O'dd e'n llenor, o'dd e'n ysgolhaig ac yn hen lanc. Mae 'da ti syniad fel mae pobl fel'na, siawns, a thithau wedi 'neud gradd yn y Gymraeg. Mae'r lle'n llawn papurau. Silffoedd ohonyn nhw, bocseidiau ohonyn nhw—stafelloedd ohonyn nhw.' 'Sdim eisiau gweiddi nawr, Sioned.' Roedd e mor ddiymateb roedd e'n hela fi'n benwan. 'Pam na wnei di ddim trosglwyddo'r cyfan i'r Llyfrgell Genedlaethol a gadael iddyn nhw roi trefn arnyn nhw?' 'Na,' meddwn i, ar ôl cyfri i ddeg (cyngor Wncwl Jimi), 'na, Bryn. Dyna'r pwynt. Nace mater o drefn yw e, doedd neb yn fwy trefnus nag Wncwl Jimi. Na, problem maint yw hi. Mae cymaint o bethau a rhaid i mi gadw rhai pethau a rhoi rhai eitemau dethol yn unig i'r Llyfrgell. Doedd Wncwl Jimi ddim yn rhy hoff o'r hen le, "Canolfan Clecs Aberystwyth" oedd ei enw fe ar y lle, rhwngot ti a fi. "Sneb yn siarad am lenyddiaeth yn y Llyfrgell Gen," meddai wrtho i yn aml, "dim ond am bwy sy wedi cael neu'n mynd i gael y swydd a'r swydd, a phwy sydd ar y rhestr fer am ryw

swydd neu'i gilydd. Basech chi'n meddwl taw darlith-
yddiaeth yw'r peth pwysica yn y byd o wrando ar hen
glecs y Llyfrgell Gen," meddai.' Rhyfedd fel y daw
cymaint o'i eiriau'n ôl i'm cof mor rwydd y dyddiau 'ma.

Ddywedais yr un gair am y dyddiaduron oherwydd
gallwn weld Wncwl Jimi fel rhith—drychiolaeth o
flaen fy llygaid yn eu dangos nhw i mi ac yn dweud 'Ar
ôl i mi fynd, 'merch i, rhaid i ti'u llosgi nhw, a 'neud
yn siŵr bod pob tudalen wedi mynd—heb ddarllen yr
un gair na gadael i neb arall eu gweld nhw. Wnei di roi
d'air? Wnei di dyngu llw 'da fi 'ma nawr?' Roedd ei
daerineb ar y pryd yn ddigri i mi, un o gêmau Wncwl
Jimi, ac eto i gyd rhaid bod f'isymwybod wedi deall
pwysigrwydd y mater oherwydd fe roddais fy ngair, ac
wna i byth anghofio mor ddiolchgar oedd e. 'Ti yw fy
merch i, yn wir, diolch i ti, bendith arnat ti.' Ac yn
syth roedd e wedi ymsionci eto. 'Cofia, does dim byd
o bwys yn y pethau 'na,' meddai gan bwyntio at y
dyddiaduron a'r llythyron; amlen frown fawr o lythyron,
dros ugain dyddlyfr mawr, wedi'u clymu ynghyd yn
rhodresgar iawn gan ruban tenau coch. 'Dim byd ond
cofnodion moel; y tywydd a phethau fel'na, a datblygiad
y cricymalau yn y blynyddoedd diwetha' 'ma. Tasai'r
beirniaid yn cael gafael ar reini basen nhw'n difetha
f'enw fel llenor, wir i ti. "Dim meddyliau, dim *pensées*,
dim *aperçus*, dim arddull". Dwi'n eu clywed nhw nawr,
a basen nhw'n datgan eu bod nhw'n ddiwerth. A basen
nhw'n iawn, mae arna i ofn.' Yn fy mlwyddyn olaf yn
y Coleg cyn i mi raddio oedd hynny. O dro i dro
wedyn byddai fe'n f'atgoffa o'r adduned. 'Cofia gadw
d'air,' meddai. Yna byddai'r crychau o gwmpas ei
lygaid yn cywasgu'n ddireidus, 'Neu bydda i'n dod
o'm bedd i dy hawntio di!'

Un tro, ar ôl iddo grybwyll yr addewid eto, bûm yn ddigon hy i fentro gofyn pam na allai fe'u llosgi nhw ei hun i wneud yn siŵr. 'Alla i ddim difetha dim byd nawr. Dw i'n rhy sentimental, mae'n debyg. Dw i'n cadw popeth. Ta beth, bydda i'n troi atyn nhw o dro i dro; maen nhw'n help i hen ddyn anghofus hel atgofion.'

Ar wahân i'r dyddiaduron yn eu gwarchodfa arbennig yn y cwpwrdd bach wrth erchwyn ei wely, roedd papurau eraill i'w cadw rhag 'crafangau'r beirniaid' ac aethai Wncwl Jimi â fi ar gylchdaith o gwmpas ei gasgliad o lawysgrifau a dogfennau. Llythyron oddi wrth Saunders Lewis, Kate Roberts, John Gwilym Jones, Syr John Meredydd, darnau o'i waith ei hun heb eu gorffen, heb eu cyhoeddi. Wrth i mi'i ddilyn o silff i silff ac o stafell i stafell dywedai beth (yn fras) oedd natur yr eitem wrth bwyntio at ryw ffeil, amlen neu focs gyda'r ebychiad 'I'w gadw' neu 'I'w roi i'r Llyfrgell Gen'. Fe'm dryswyd yn llwyr ond deallais fod rhai pethau o natur bersonol neu o ddim gwerth llenyddol i'w cadw, a bod pethau o bwys i lengarwyr Cymru i fynd i Aberystwyth. Rhaid fy mod i wedi mynegi fy mhenbleth yn anfwriadol oherwydd ar y diwedd ei gyngor oedd, 'Wel, ceisia 'neud d'orau, 'merch i. Dim ond i ti gadw d'air ynglŷn â'r dyddiaduron 'na.'

'Pam wyt ti'n meddwl bod Wncwl Jimi wedi gofyn i mi 'neud hyn?' gofynnais i Bryn. 'O'dd e'n ymddiried ynot ti, fel gwedais i.' 'Pam 'nath e ddim gofyn i Nhad neu Mam?' 'Dy'n nhw ddim yn bobl llên, nag y'n nhw? 'O't ti'n fyfyrwraig iddo.' 'Beth am Gwilym Humphreys-Davies neu Eifion Reynolds? 'O'dd e'n gweithio 'da'r ddau ac yn ffrindiau mawr 'da Eifion.' 'Gwŷr llên eu hunain. Na, doedd e ddim yn gallu'u trystio nhw fel ti. Ti oedd ei ffefryn.' 'Tybed?' meddwn i. Ond gwyddwn fod yn rhaid i mi fynd i Aneddle er mwyn cywiro fy ngair ar y cyfle cyntaf.

Medi 2

Aneddle. Roedd yma barsel mawr o Amsterdam a llythyron di-rif yn aros Dr James Tomos Powel, Dr J. T. Powel, Mr Powel, ac yn y blaen, yn gruglwyth y tu ôl i'r drws wrth i mi gyrraedd. Ym meddyliau rhai pobl mae Wncwl Jimi yn fyw o hyd oherwydd dydyn nhw ddim wedi clywed yn wahanol eto. Fy ngorchwyl i fydd agor yr amlenni hyn ac ysgrifennu atyn nhw gyda'r newyddion.

O, y teimlad ofnadwy o fod yn y tŷ hwn heb Wncwl Jimi. Roedd yr adeilad eto'n blisgyn amddifad o'r hyn oedd ysbryd Wncwl Jimi—ei fywyd, ei groeso, ei fywiogrwydd. Bûm i yno ar ôl yr angladd gyda Mam a Bryn, ond i wneud yr hyn oedd yn ddyletswydd o'r pwys mwyaf i mi'i chyflawni roeddwn i'n gorfod bod yno ar fy mhen fy hun.

Teimlwn yn euog wrth symud o gwmpas y stafelloedd, fel petawn i'n tresmasu neu fel lleidr. Roedd y cyntedd yn dywyll, fel arfer. Detholiad o ymbarelau— neu 'glawlenni' chwedl Wncwl Jimi—yn y stondin derw gyda'r drych a bachau o'i gwmpas ar gyfer hetiau a chotiau. Un o'i gotiau yno o hyd, y mac ysgafn golau a brynasai yng Nghaerdydd yn ddiweddar gyda Mam a finnau. 'Glawlenni' gyda dolenni cain, pren gydag addurniadau arian o'u cwmpas—rhai yn hen; un ar ôl ei dad, un ar ôl Syr John. Yr un llwyd oedd ei ddewis ei hun am ei fod yn denau iawn wedi'i rowlio. Safai'r

47

cloc cas hir yno yn aros i fynd at yr Athro Harri Lewis. Doedd e ddim yn tician. Mewn ffordd roedd hynny'n beth da gan fod sŵn cloc, i'm meddwl i, yn dwysáu distawrwydd. Yn lle aros yn y gegin es i drwyddi yn syth i'r tŷ gwydr a godwyd fel estyniad iddi gan Wncwl Jimi. Hwn oedd ei hoff le, lle y dewisai weithio yn lle'i lyfrgell neu'r stafell a neilltuwyd ganddo fel myfyrgell. Yno y byddai'n eistedd wrth ei ford fechan yn ei gadair bren gefn gwiail, yn llunio darlithiau, erthyglau, sgriptiau a than ysbrydoliaeth arbennig, ambell stori fer brin. Arferai'r lle fod yn llawn planhigion gwyrdd—rhedyn, eiddew, *cacti, aspidistra* (ar ôl ei fam), *yuccas*; roedd e wedi prynu dwy goeden *bonsai* hyd yn oed ac wedi cael cryn lwyddiant gyda nhw. Yn awr, er mawr ofid i mi, roedd popeth wedi gwywo'n grimp, yn felyn neu'n frown. Dim ond yr *aspidistra* a rhai o'r *cacti* oedd wedi goroesi'r sychder a'r esgeulustod. Y coed corachaidd yn ddim byd ond sgerbydau o frigau crin yn eu potiau Siapaneaidd. Ond roedd papur ar y ford ac offer sgrifennu yn barod erbyn iddo ddod 'nôl i ailafael yn ei waith. Ni allwn ddioddef sefyll mewn lle mor drist ond gwnaethwn yn iawn i ddechrau yno. Edrychais ar y gegin. Stafell a sawrai o hen Gymreictod ac o fam Wncwl Jimi—ei chanolfan hi oedd hon. Ei chadair siglo wrth ochr y lle tân henffasiwn, ei bord fawr hi; pren solet. Y cadeiriau pren o'r wlad o'i chwmpas, pedair ohonynt, dwy arall yn erbyn y wal. Ei silffoedd hi, ei llestri hi. Ei llun hi yn fawr uwchben y silff-ben-tân—menyw tua deugain oed, eithaf tebyg i Wncwl Jimi, yr un talcen a'r un trwyn. Llun arall yn sefyll ar y ffenest uwchben y 'bosh'. Llun ohoni hi tua'r trigain oed ac Wncwl Jimi yn ei ugeiniau yn sefyll ac yn

chwerthin yn yr ardd—yr un wên ar wynebau'r ddau.
Roedd Wncwl Jimi wedi cadw'r stafell bron yn union
fel roedd ei fam yn dymuno'i chadw, fel ceginau pobl
y wlad, fel roedd hi wedi'i threfnu hi pan ddaethai hi a
thad Wncwl Jimi i Aneddle i fyw. Ond ar ôl iddi
farw—hen wraig mewn gwth o oedran—ychwaneg-
wyd pethau newydd trydanol. Fesul un daeth y ffwrn,
yr oergell a'r rhewgell, y tecell trydan.

'Meddylia am Mam,' meddai Wncwl Jimi wrth
ryfeddu at chwimder y teclyn yn berwi dŵr ac yn ei
ddiffodd ei hun, 'meddylia amdani yn gorfod llenwi'r
hen decell du trwm 'na a'i osod ar y tân a disgwyl a
disgwyl iddo ferwi i gael disgled o de.' Ac yna daeth
mwy o wyrthiau technolegol i wneud ei waith tŷ yn
haws; y peiriant golchi dillad, y peiriant golchi llestri
a'r meicrodon. Y pethau gwyn a sgleiniog, metalaidd a
phlastig hyn yn cydletya gyda'r hen bethau pren o'r
ganrif ddiwethaf—amgueddfa ac arddangosfa wyddon-
iaeth yn yr un stafell. Nid bod Wncwl Jimi wedi
manteisio ar bob un o'r pethau hyn—roedd yn well
'da fe olchi'i lestri yn y bosh bob tro.

Symudais i'r rhŵm ganol ('Rhŵm genol, ys gwetai
Mam')—oedd 'da Wnwcwl Jimi gynnig i'r gair
'lolfa', 'gair gwneud—erthylair' meddai. Yno hefyd
ceid yr un cymysgedd o'r hen a'r newydd. Y tri darn
eistedd modern a moethus a ddaethai'n gymharol
ddiweddar o Maskrey's (yn aros ei dro i fynd i dŷ Mostyn
ac Annie yn y pentre), celfi sy'n eich cofleidio wrth
eistedd. Sylwais fod ychydig o ôl traul ar un o'r
cadeiriau esmwyth yn unig, yr un gyferbyn â'r teledu
lliw—roedd y llall a'r soffa yn ddifrychleulyd. A'r hen
seld roedd Wncwl Jimi mor falch ohoni oherwydd ei
bod wedi dod oddi wrth ei fam-gu o ochr ei dad,

gyda'i rhesi o blatiau (gwyn a glas) a'i sioe o siwgiau (amryliw), ei thri drâr a photiau ysblennydd odanynt (hen eto ac o ochr ei dad). Roedd hon yn rhan o ysbryd y rhŵm genol a rhaid ei chadw yn Aneddle fel roedd hi; doedd Wncwl Jimi ddim wedi'i gadael i neb. Ond ar y silffoedd, yn cwato rhwng y platiau deuliw a'r tu ôl i'r siwgiau addurniedig roedd yna luniau a chardiau post oddi wrth ffrindiau a chydnabod, pamffledi, llyfrau, lluniau o Wncwl Jimi a'i gydweith-wyr a rhesi o fyfyrwyr newydd-raddedig yn cynrychioli nifer o'r blynyddoedd y bu'n darlithio yn yr Adran Gymraeg. Roedd y llun o'm blwyddyn i wedi cael parch arbennig ac wedi'i fframio ar y wal—y fi'n sefyll y tu ôl i ysgwydd chwith Wncwl Jimi, mor agos ag y gallwn fod ato. Agorais y drariau; roedden nhw'n llawn trugareddau—broitsys a phethau pert ar ôl ei fam, cotwm, botymau amryliw ac amrywiol, mwy o gardiau, *screwdrivers*, hen sbectols, cennin brethyn yn barod am ddydd gŵyl Dewi, hen filiau a derbynebau, canhwyllau cwyr, *sellotape*, pensiliau, beiros di-ri, siswrn, torts bateri. Ond doedd dim amynedd 'da fi i whilmentan ar y pryd.

Yn y gornel safai'r teledu lliw y daethai Wncwl Jimi mor hoff ohono yn ddiweddar, yn enwedig ar ôl iddo ymddeol. 'Mae'n gwmni,' meddai. Wrth feddwl am yr ymadrodd hwnnw, un nodweddiadol ohono, fe'm llethwyd gan deimlad o unigrwydd. Gwelwn Wncwl Jimi yn eistedd yn ei gadair esmwyth yn ei unigedd awr ar ôl awr, ddydd ar ôl dydd. Wrth gwrs, gwyddai fod croeso iddo bob amser yn y pentre yn nhŷ Nhad a Mam, a manteisiai ar hynny yn aml, ond ar ei ben ei hun roedd e rhan fynychaf. Gallasai fod wedi bod yn fwy cymdeithasol drwy dderbyn mwy o bobl i

Aneddle, ond prin (a breintiedig) oedd yr ymwelwyr. Pan oedd Huw a finnau'n blant fe ddeuem i chwarae yn yr ardd bron bob dydd, ac wedyn yn f'arddegau deuwn fy hunan i siarad ag Wncwl Jimi, i wneud fy ngwaith cartref, i wylio'r teledu gyda fe—yn enwedig adeg Wimbledon—neu i wneud neges drosto. Teimlwn fod Aneddle yn ail gartref i mi a bod Wncwl Jimi yn ddirprwy dad-cu. Rhaid ei fod wedi gweld f'eisiau ar ôl i mi raddio a dechrau canlyn gyda Bryn, ac yn arbennig pan symudais i Abertawe, wedi priodi.

Edrychais ar lun mawr arall o'i fam ar y silff-ben-tân a llun bach yn y gornel o'i dad, cetyn yn ei geg. Doedd Wncwl Jimi ddim wedi gadael ei gartref erioed. Aethai i'r Coleg agosaf a chawsai swyddi fel athro mewn ysgolion yn y cylch cyn iddo ddychwelyd at y Coleg hwnnw fel darlithydd, Darllenydd yn y diwedd, nes iddo ymddeol. Sôn am 'filltir sgwâr'— ni adawsai Wncwl Jimi ei Aneddle erioed. A oedd hyn'na'n beth lwcus neu'n beth anffodus, tybed? Doedd e ddim yn ddyn cul ei orwelion o bell ffordd—darllenai yn eang a theithiai yn aml; ar hyd a lled y wlad i ddarlithio ac i annerch cymdeithasau llenyddol ac i Eisteddfodau; âi ar ei wyliau i sawl lle swynol—America, Berlin, Paris, Tunisia—a'i wyliau olaf yn Amsterdam. Ond hwyrach ei fod yn rhy agos at ei gartref a dyna pam nad oedd yn gymdeithaswr mawr, yn ddyn poenus o swil, a hwyrach taw dyna'r rheswm wnaeth e ddim priodi a chael teulu.

Daeth yn bryd i mi fynd i fyny'r grisiau i'w lofft i gasglu'r dyddiaduron a chyflawni fy nyletswydd. Gwyddwn fy mod i wedi gohirio'r peth drwy edrych yn fanwl ar bethau roeddwn i'n hen gyfarwydd â nhw a hel meddyliau, hel dail yn fy mhen, fel petai. Penderfynais taw'r peth gorau i'w wneud fyddai wynebu'r gorchwyl, ei gael drosodd, mas o'r ffordd. Wedyn byddai fy nghydwybod yn lân ac yna gallwn adael y tŷ a dod 'nôl eto i weithio drwy'r papurau eraill a chael y lle'n barod i dderbyn y myfyrwyr neu'r egin-lenorion cyntaf.

Mor foel oedd llofft Wncwl Jimi o'i chymharu ag ystafelloedd eraill y tŷ. Hen stafell wely'i rieni a'r llofft arall yn llyfrgelloedd i bob pwrpas, mwy o lyfrau a desg anferth yn y parlwr wedi'i droi'n fyfyrgell. Roedd pob stafell arall yn llawn bywyd a thrugareddau ac arwyddion o weithgarwch a diddordebau Wncwl Jimi a'i rieni. Ond yn ei lofft oedd y gwely dwbl glân wedi'i dannu lle y cysgasai Wncwl Jimi ar hyd ei oes—yr unig blentyn wedi'i fratu â gwely mawr cyfan i'w hunan, a'r hen lanc a fu mor 'bwdwr' weithiau ag i sgrifennu yno yn ystod y dydd. Y wardrob, y gwely a'r cwpwrdd bach a golau arno oedd yr unig bethau yno. Dim lluniau ar y waliau, dim silffoedd, dim dillad—popeth yn yr hongladd o wardrob hyll â drych hwnnw yn dyblygu'r gwely taclus a'r cwpwrdd.

Agorais y drws a dyna lle oedd y dyddiaduron yn union fel y'u dangoswyd i mi gan Wncwl Jimi ond gyda'r ychwanegiad o sawl cyfrol a mwy o lythyron a barnu wrth y chwydd yn yr amlen fawr, y cyfan â'r ruban coch yn eu clymu ac yn eu huno.

Wrth i mi godi'r llyfrau yn fy mreichiau a theimlo'u pwysau sylweddolais fy mod i'n cario cofnodion oes yn fy nwylo. Dodais y llwyth ar y gwely a suddodd i bant o danynt. Edrychais arnynt a dyna'r tro cyntaf i mi feddwl am eu cynnwys ac am odrwydd awydd Wncwl Jimi i wneud yn siŵr bod rhywun yn cael gwared â nhw. Am ryw reswm—diniweidrwydd o'm rhan i mae'n debyg—doeddwn i ddim wedi rhag-weld y funud honno, ddim wedi meddwl amdani, ddim wedi fy mharatoi fy hunan drwy rihyrsio ar ei chyfer. Doeddwn i ddim wedi meddwl am y chwilfrydedd a'm meddiannai. Eisteddais ar y gwely wrth ochr y llyfrau sgrifennu, y rhai cynnar yn ffwlscap a'r rhai diweddar yn A4, 200 tudalen, llinellau glas cul gydag ymyl goch a phedwar twll. Deg ar hugain ohonyn nhw bron, ac amlen A4 talpiog. Stori bywyd y llenor encilgar James Tomos Powel, yn olrhain hanes a datblygiad ei nofel, ei storïau, ei yrfa academaidd, yn sôn am ei gyfeillion fel Syr John Meredydd—ond roedd e eisoes wedi sôn am ei berthynas â hwnnw a ddechreuodd pan oedd y ddau yn gryts yn yr ysgol fach ac a barodd nes i Syr John farw bum mlynedd yn ôl—Mam a Nhad a finnau, efallai. Beth oedd e'n meddwl ohono i? Ei elynion; er ei fod yn ddyn addfwyn roedd e'n casáu lot o bobl yn y byd Cymraeg. Dywedodd wrth Mam a finnau un tro am awdures adnabyddus, 'Mae hi'n het focs a sgitiau gwaith,' a ninnau yn ein dyblau. Roedd yr awydd i wybod mwy amdano, y cyfan, yn llethol. Wedi'r cyfan on'd oedd e'n dipyn o ddirgelwch, hyd yn oed i ni? Ar ôl i'r newyddion dorri am ei farwolaeth roedd Mam a finnau'n gorfod siarad â phobl ar y radio a'r teledu a'r wasg, a'r cwestiwn a godid o hyd ac o hyd oedd 'Pa fath o ddyn oedd e?' Cwestiwn nad oedd ateb rhwydd iddo er mor agos ato oedden ni. Yn sicr roedd yna bethau roeddwn i eisiau'u gwybod na allswn i fod wedi gofyn iddo. Oedd e wedi cael siom serch gyda rhyw fenyw yn y pentre?

Ond daeth llais i'm pen i'm hatgoffa fod popeth o bwys yn y nofel, y storïau a'r atgofion. Doedd dim eisiau ysglyfaethu'r 'cofnodion moel'.

Ac eto on'd oedd yna ryw deimlad ynglŷn â'r gweithiau bod y stori yn anghyflawn, ei fod yn cadw rhywbeth yn ôl?

Codais y bwndel eto a cherdded yn drwm gyda fe i lawr y grisiau. Drwy'r rhŵm genol a'r tŷ gwydr â mi i'r ardd. Sut yn y byd roeddwn i'n mynd i gadw fy ngair, dyna gwestiwn arall.

Roedd yr ardd mor gymen ag arfer. Yn amlwg bu Roy yn cadw llygaid arni. Y lawnt hirsgwar, yr ymylon amryliw—rhosynnod, *clematis, rhododendron, buddleia* —ac ar y gwaelod y cylch o berlysiau a'r coed; dwy afalwydden, pren ceirios, pren gellyg. Y tu ôl i'r gelli fach roedd yna gwt, lle cadwai Roy ei offer, a thomen lle y llosgai unrhyw wastraff o'r ardd. Dyna'r lle i wneud fy ngwaith.

Dodais y dogfennau ar y domen a mynd i'r cwt i chwilio am olew neu betrol, a chael peth. Bu'n rhaid i mi bicio yn ôl i'r gegin i gael matsys. Arllwysais yr hylif dros y llawysgrifau, a rhyngddynt, a gadael iddo suddo i'r tudalennau gan gofio geiriau Wncwl Jimi 'rhaid iti'u llosgi nhw a gwneud yn siŵr bod pob tudalen wedi mynd'. Roedd hwn yn mynd i fod yn amlosgiad urddasol. Cynheuais fatsien ac estyn y fflam tuag at y tanwydd llenyddol.

Roedd yna bellter rhwng fy llaw a'r olew ar yr ysgrifeniadau, bron mor bell â'r agendor rhwng fy llw i Wncwl Jimi a'r diwrnod hwn. Meddyliais am Kafka yn siarsio Max Brod i ddifetha'i lawysgrifau ar ôl ei farwolaeth a Brod yn mynd yn erbyn gair y llenor ac yn cadw'r nofelau anorffenedig ac yn eu cyhoeddi gan roi i'r byd gampweithiau llenyddol o'r pwys mwyaf i'r oes fodern. Beth os oedd testun cyfwerth i'n llên ar y domen yn awr a finnau ar fin ei losgi? Beth os nad oedd

Wncwl Jimi o ddifri a'i fod wedi rhag-weld y byddwn yn cael fy nhemtio fel hyn a'i fod wedi darogan achub *tour de force*? Ond na, cofiais ei daerineb a doedd dim arlliw o eironi yn ei orchymyn 'rhaid iti'u llosgi nhw a gwneud yn siŵr bod pob tudalen wedi mynd'. Ac eto, roedd e wedi marw ac yn ei fedd ni allai deimlo unrhyw frad, unrhyw ddicter. Onid swildod oedd y tu ôl i'r dymuniad? Roedd hi'n anodd gen i gredu nad oedd dim gwerth llenyddol ynddynt o gwbl, dim ond cofnodion a nodiadau ar y tywydd ac yntau'n ddyn mor ddeallus a chreadigol a'r holl bobl roedd e wedi cwrdd â nhw. Ond cyn i mi ildio a newid fy meddwl cofiais am Monica Jones, ffrind Philip Larkin, a gawsai'r un dasg â finnau o gael gwared â dyddiaduron y llenor. Rhoes hi nhw drwy beiriant malu papur. Cymraes oedd hi o Lanelli (er ei bod yn ddi-Gymraeg ac wedi gwadu'i thras drwy ymseisnigo) ac mae Cymraes (fel pob Cymro) yn cadw ei gair.

Cydiodd y fflam ac er i mi gael fy mygwth gan awydd i geisio cael cipolwg a darllen darnau o ambell dudalen wrth iddynt gyrlio yn y gwres, wnes i ddim edrych. Cofiais Wncwl Jimi yn dweud 'heb ddarllen yr un gair'. Arhosais i brocio'r goelcerth fechan i wneud 'yn siŵr bod pob tudalen wedi mynd' fel na châi 'neb arall eu gweld nhw'. Gadewais gruglwyth ansylweddol du o ludw yn mudlosgi.

Dw i'n fodlon i mi gadw f'adduned i Wncwl Jimi. Caf gysgu'n dawel yn fy hen wely yn nhŷ Nhad a Mam heno a mynd yn ôl i Aneddle yfory i wneud tipyn o waith mwy pleserus cyn mynd yn ôl i Abertawe a Bryn.

Y peth gorau a wnes i oedd cadw'r dyddiadur hwn. Mae'n fwy gwerthfawr nag yr oeddwn wedi sylweddoli ar y dechrau oherwydd ni allwn drafod yr hyn sydd wedi digwydd heddiw gyda neb.

Rhaid i mi ddechrau o'r dechrau. Yn syth ar ôl brecwast gyda Mam a Nhad (sydd i'w weld ychydig yn well heddiw) es i lan i Aneddle. Teimlwn yn hapus gan fod baich fy ngofid wedi'i godi oddi ar f'ysgwyddau er ddoe. Teimlwn fod y tŷ yn fy nghroesawu y tro hwn.

Y peth cyntaf a wnes i oedd dechrau mynd drwy'r llythyron (roedd mwy wedi dod hefyd)—

Annwyl Dr Powel,
Cynhelir ein cynhadledd eleni . . . hoffwn eich gwahodd i siarad yn y gynhadledd o safbwynt llenor . . .

Annwyl Dr Powel,
Ysgrifennaf atoch i ofyn a fyddai gennych ddiddordeb mewn cyfrannu darn creadigol at dudalennau ein cylchgrawn . . .

Annwyl Jim,
Diolch am dy stori newydd, cefais gryn flas arni . . .

Annwyl Jim,
Pa hwyl sydd erstalwm? Amgaeaf siec sy'n ddyledus iti am y rhaglen *Celf a Chelf* . . .

Annwyl J. T.,
Wele'r llyfr arfaethedig. Gobeithio y byddi di yn ei fwynhau . . .

Annwyl Jimbo,
Roeddet yn aros yn ddisgwylgar ar fy rhestr o lythyrau i'w sgwennu . . .

Annwyl Dr Powel,
Rwy'n ysgrifennu atoch yn rhinwedd fy swydd fel
trefnydd cyrsiau llenyddol Canolfan . . .

Annwyl Dr Powel,
Amgaeaf gopi o nofel a sgwennais. Tybed a fyddet gystal
â bwrw golwg drosti a rhoi dy farn yn ddiflewyn-ar-
dafod . . .

Bernais mai'r peth gorau i'w wneud fyddai llunio un
llythyr ffurfiol a gyrru copïau ohono at bob gohebydd
gan esbonio'r sefyllfa. Gallwn wneud hynny ar y
prosesydd geiriau ar ôl mynd yn ôl i Abertawe. Yr
effaith a gafodd darllen yr holl ohebiaeth amrywiol hyn
oedd i ddyfnhau f'ymwybyddiaeth o'r ffaith fod
Wncwl Jimi yn fwy nag Wncwl Jimi, ei fod yn ŵr llên
ac yn llenor a berthynai i'r genedl a'm braint oedd
gofalu am ei waddol llenyddol.

Yna agorais y pecyn mawr o Amsterdam. Ynddo
roedd bag dillad a adawyd ar ôl yn y gwesty lle bu
Wncwl Jimi'n aros nes iddo farw. Nid bod llythyr yn
egluro hynny, dim ond cerdyn bach—a hwn oedd yr
ysgytiad cyntaf. Fe'i darllenais a methu credu, a'i
ddarllen eto. Arno oedd y geiriau—

> With Compliments
> *Hotel Mystique*
> Exclusively Gay
> Close to all Gay Amenities
> Comfortable rooms with
> Private or Shared Showers
> Late Breakfast
> Your Own Key
>
> Kerkstraat—Amsterdam

Y ddau air a'm trawodd ac a ddarllenais dro ar ôl tro oedd *Exclusively Gay*. Oedd yna gamsyniad? A oedd 'hoyw' yn meddwl beth o'n i'n meddwl ei fod yn ei feddwl? A oedd y fath beth â gwesty cwbl hoyw (yn yr ystyr yna) yn bod? Ai bag Wncwl Jimi oedd hwn?

Ffoniais Mam. 'Beth oedd enw'r gwesty lle oedd Wncwl Jimi yn sefyll?' 'Yr un lle buodd e farw ti'n feddwl?' 'Ie.' 'Smo fi'n cofio. Rhywbeth fel "Hotel Mystery", ond dw i ddim yn siŵr. Aros funud, mae fe wedi'i nodi 'da fi . . . (saib hir) . . . Ie, dyma fe. Yr "Hotel Mystique"—alla'i ddim cynanu'r cyfeiriad.' 'Diolch, Mam.' A dodais y ffôn lawr cyn iddi gael cyfle i ofyn pam oeddwn i'n holi.

Doedd Mam, yn amlwg, ddim yn gwybod am natur y gwesty. Ond beth am bobl eraill? Beth am bobl y wasg?

Darbwyllais fy hunan nad oedd y ffaith fod Wncwl Jimi wedi aros yn y gwesty hwnnw yn golygu dim. Mwy na thebyg ei fod e wedi gwneud camgymeriad, wedi cymryd stafell yn y lle cyfforddus a chyfleus cyntaf ar ôl iddo gyrraedd y ddinas.

Agorais y bag. Efallai nad ei gês ef oedd e. Ond adnabyddais y teis a'r sanau a'r crysau yn syth.

Ac yna, odanynt, cefais yr ail sioc a'r gwaethaf. Dyddiadur. Cyfrol denau, yn wahanol i'r rhai a losgais ddoe. Fy mai i oedd e. Yn lle mynd ag ef yn syth i'r ardd agorais y llyfr a gweld y geiriau 'Dyddiadur Amsterdam', yn llawysgrifen gymen Wncwl Jimi. Trois at y cofnod cyntaf heb feddwl peidio, wedi fy ngyrru ymlaen gan ryw chwilfrydedd ffyrnig a dechrau darllen . . .

Awst 5

Nid yw'r gwesty yn un moethus iawn am 75 guilder y noson ond mae'n ddigon cyfforddus . . .

Awst 6

Wedi bod am dro yn y ddinas a theimlwn y rhyddid a'r rhyddhad yn llifo drwy f'ysbryd mewn tonnau . . .

Awst 7

Mynd i'r Homomonument *ac ar daith o gwmpas y ddinas gyda chriw o ddynion hoyw i weld llefydd o bwys hanesyddol i wrywgydwyr. Rhaid i mi gyfaddef rwy'n cael y geiriau 'hoyw' a 'gay' yn anodd i'w defnyddio'n rhwydd o hyd. Ni fu fy mywyd i erioed yn 'hoyw' yn yr ystyr yna. Beth bynnag, mae'n eirfa amlwg yma—yn yr iaith Saesneg; y mae popeth yn Saesneg. Gwelais lefydd diddorol odiaeth—a thrist—a chlywed storïau am bobl yn cael eu herlid a'u gwawdio a'u lladd mewn dyddiau a fu (heb fod mor bell yn ôl) am eu bod yn gyfunrhywiol. Digon i godi'ch gwrychyn . . .*

Wedi cwrdd â dyn tua'r un oedran â fi ar y daith hoyw. Mae'n dod o America ac fel y rhan fwyaf o'i gydwladwyr y mae'n allblyg ac yn hyderus iawn. Daeth i siarad â mi (ni fuaswn i wedi siarad ag ef yn gyntaf) a dweud ei fod wedi bod i Gymru ac wedi ymweld â Phortmeirion lle ffilmiwyd The Prisoner. *Mae mewn cas cadw da am ei oedran—llawer gwell na mi, rhaid cyfaddef. Serch hynny, nid wyf yn credu yn ei wallt (o ran ei liw nac o ran ei ddeunydd). Mae'n gyfeillgar iawn, a dyna'r peth pwysig. Aethon ni am gwpaned o goffi a threfnu cyfarfod yfory. Mae'n fodlon dangos llefydd i mi na fuaswn yn mentro iddynt ar fy mhen fy hun. Ei enw yw Jim! Dywedais wrtho taw Tom oedd f'enw i.*

Dw i wedi dethol pigion yn unig o'r hyn sy'n digwydd ar ôl y cofnod uchod—

Awst 8

Cwrddais â Jim ac aethon ni i gaffé o'r enw 'Back Stage'. Lle bach 'camp' sy'n cael ei reoli gan ddau efaill o Indiaid Cochion hoyw. Anhygoel! Y ddau yn eu trigeiniau, o leiaf, ond yn hynod o heini a doniol a bywiog . . . Wedyn aethon ni o siop i siop yn y ddinas a gwelais gylchgronau yn cynnwys deunydd ymhell y tu hwnt i'm dychymyg (a gwrthun i mi, rhaid cyfaddef). Ni allaf oresgyn fy magwraeth dros nos, ac ofnaf ei bod yn rhy hwyr. Chwarae teg i Jim mae'n deall y sefyllfa ac mae'n hynod o amyneddgar gyda mi. Byth yn ceisio fy nhywys i weld pethau a'm brawychai. Yn esbonio sut i ymddwyn, yn egluro beth yn union y cawn weld cyn mynd yno . . . Yn y prynhawn aethon ni i far o'r enw 'Amstel Taveerne'; lle traddodiadol Isalmaenig ond yn llawn o bobl hoyw; y bar yng nghanol yr ystafell a'r cwsmeriaid mewn cylch o'i gwmpas yn cydganu i recordiau o ganeuon Doris Day yn Isalmaeneg! Ni allwn ddod dros y ffaith fod cynifer o ddynion (a phob un ohonynt yn wrywgydiwr) gyda'i gilydd a dim un yn ceisio (nac yn gorfod) cuddio'i wir natur na'i deimladau. Gwelais ddynion yn dal dwylo ac yn cusanu, hyd yn oed . . . Estynnodd Jim wahoddiad i mi fynd yn ei gwmni i glwb hoyw heno ond yr wyf wedi cael mwy na digon i feddwl amdano am y tro. Nid wyf yn barod am y clybiau eto . . .

Daeth Jim i alw arnaf yn y gwesty y bore 'ma. Mor
garedig. Rwyf yn mwynhau cael brecwast yma. Nid bod
y bwyd i'w ganmol, dyw e ddim (caws Isalmaenig—
hynny yw, sebon—cig oer a bara fel papur), ond i gael
cwmni fy nghydwesteion hynaws, cyfeillgar. Dynion o
bob oedran—ond pawb yn iau na mi—yn aros gyda'i
gilydd ac yn trafod gorchestion y noson cynt . . .

Aeth Jim a finnau i'r ddinas ac yn y diwedd fe'm
perswadiwyd (ac ymwrolais) i fynd i weld ffilm borno-
graffig. Teimlwn yn ofnadwy o euog, fel llygad-dyst i
Sodom a Gomorah, ofnais fod ysbryd fy mam yn fy
ngwylio ac yn fy ngheryddu. Ond ni allwn adael na
pheidio ag ymateb i'r cyffro. Er i mi fyw bywyd tawel,
cul, ar hyd fy oes, o leiaf rwyf i wedi gweld y cyfan
nawr, cyn marw . . .

Rwyf i wedi profi mwy yn ystod y gwyliau hyn nag a
wnes yn America neu Berlin neu Tunisia hyd yn oed.
Roedd digon o gyfle yno, ond roeddwn i'n rhy swil ac
ofnus i fanteisio arno. Gwyliwn y cyfan o'r ymylon, yn
betrus, fel plentyn yn ofni nofio yn y dŵr ond yn dodi
bysedd ei draed yn y pyllau bach. Cwmni ac arweiniad
profiadol Jim sydd wedi gwneud y gwahaniaeth. Oni bai
amdano fe ni fuaswn i wedi gwneud dim mwy nag edrych
a meddwl a dychmygu, heb fentro, fel y gwnes i ar fy
ngwyliau blaenorol—fel y gwnes i ar hyd f'oes. Heno
aethon ni i far o'r enw yr 'Argos' lle mae'r dynion i gyd
yn gwisgo lledr du neu rwber. Bu'n rhaid i Jim a finnau
sleifio i mewn am nad oedd yr unffurfwisg gywir
gennym. Unwaith eto bu'n rhaid i mi ymgodymu â

chyflyraeth oes a brwydro yn erbyn y teimlad bod y bobl o'm cwmpas yn rhai drwg a bod yr awyrgylch yn bechadurus, annuwiol. Dangosid ffilmiau fideo pornograffig drwy'r amser, er bod y rhan fwyaf o'r cwsmeriaid yn eu hanwybyddu'n llwyr. Ni allwn gredu bod yr holl ddynion o'm cwmpas (ac roedd y lle'n llawn) yn gyfun-rhywiol. Symudai ambell ddyn ifanc drwy'r dorf yn gwisgo'r nesaf peth i ddim. Gwelais sawl un gyda modrwyau drwy'i dethi—clustdlysau, trwyndlysau a hyd yn oed aeldlysau! Sylwais fod cryn dipyn o fynd a dod drwy ddrws y cefn. Mynedfa ydoedd, yn ôl Jim, i lawr i gelloedd tywyll lle'r oedd dynion yn cael cyfathrach rywiol gyda dieithriaid. Roedd Jim yn barod i fynd â mi lawr i weld, 'Does dim eisiau poeni,' meddai, 'mi wna i edrych ar d'ôl di'. Ond fentrais i ddim.

Awst 11

Heddiw oedd diwrnod olaf gwyliau Jim a dim ond dau ddiwrnod sydd ar ôl i mi yma. Byddaf ar goll heb fy nghyfaill newydd o'r Unol Daleithau. Aethon ni i'r Jordaan—y strydoedd bach cul, yr holl siopau amrywiol. Tipyn o ddiwylliant. Aethon ni i dŷ Anne Frank a chael y profiad yn un dwys a theimladol iawn. Yn ei stafell roedd y ferch wedi glynu lluniau o sêr y ffilmiau ar y wal; yn eu plith llun o Ray Milland ifanc. Cysylltiad Cymreig annisgwyl. Sylwodd Jim ar ddau beth; yn gyntaf, bod y Natsïaid wedi gorfod ffurfio cynghrair gyda phlaid y Catholigion cyn iddynt gael mwyafrif yn yr Almaen; yn ail, nid oedd un nodyn ynglŷn â'r nifer o wrywgydwyr a laddwyd gan y Natsïaid—yr Iddewon (yn ddigon naturiol), y Pwyliaid, y Sipsiwn, y Seiri Rhyddion, *y Tystion Jehofa, ond dim sôn am y bobl hoyw. Cystal â dweud bod lladd gwrywgydwyr yn dderbyniol gan bawb. Dyw'r anfadwaith ddim wedi cael llawer o sylw, fel yr esboniodd Jim i mi, oherwydd roedd gwrywgydiaeth yn anghyfreithlon am flynyddoedd ar ôl y rhyfel mewn sawl gwlad (ym Mhrydain hyd at ddiwedd y chwedegau), felly ni allai'r goroeswyr hoyw (prin) siarad am eu profiadau, hyd yn oed mewn gwledydd 'rhydd'.*

Aethon ni am bryd o fwyd heno a siaradais am fy mywyd yng Nghymru, am fy ngwyliau unig yn y gorffennol, am yr holl amser a wastraffwyd, am y cyfleoedd a gollwyd. Rhaid fy mod i wedi cael gormod i'w yfed oherwydd soniais am f'unigrwydd enbyd ac am y teimlad bod y cyfan yn cyflym ddirwyn i ben a finnau'n ddiweddar, o'r diwedd, wedi magu digon o blwc i fyw. A siaradodd Jim am ei fywyd yn America, am ei waith (cyn iddo ymddeol) gyda chwmni cyhoeddi, am y bobl roedd e wedi cwrdd â nhw drwy'i waith: Tennessee Williams, Gore Vidal, Truman Capote, William Burroughs. Enwodd sawl un o'i gariadon, ond yr un pwysicaf oedd dyn du o'r enw Lewin a fu farw'n ddiweddar ar ôl iddynt dreulio deunaw mlynedd yn byw gyda'i gilydd. Daethai Jim i Amsterdam i geisio dod dros ei brofedigaeth ac i ddianc rhag ei unigrwydd yntau, dros dro. Daethon ni yn ôl i'r gwesty wedyn.

Awst 12

Ffarweliais â Jim yn y bore. Dim addewidion i 'gadw mewn cysylltiad', rydyn ni'n rhy aeddfed i hunan-dwyll. Mynd wedyn i Amgueddfa Van Gogh. Arddangosfa o hunanbortreadau. Cynifer ohonynt, fel petai'n chwilio am ei hunan, yn ceisio gweld ei hunan ond yn methu bob

tro. Edrychai'n wahanol iawn ym mhob llun ac yn y
diwedd wyddwn i ddim pa un oedd y tebycaf iddo. Y
Rijksmuseum. *Mae pobl yn lluniau Rembrandt yn*
ddifrifol bob amser—ond mae hiwmor ym mhobl Franz
Hals. Astudiais lun mawr o farsiandïwyr—gallasent yn
hawdd fod yn gydgynllwynwyr Guto Ffowc—dynion
pwysig a chyfoethog yn eu dydd a'u hamser; pob un
ohonynt wedi mynd ac wedi'i anghofio (oni bai am lun
Rembrandt). Nid yw Rembrandt ei hun byth yn dangos
smic o wên yn ei hunanbortreadau. Daeth fy ngwyliau i
ben pan aeth Jim y bore 'ma.

Dyna gofnod olaf Wncwl Jimi. Ond ai f'Wncwl Jimi i
oedd awdur y geiriau hyn? Ei sgrifen ef a lenwai'r
tudalennau ond doeddwn i ddim yn nabod y llais na'r
bersonoliaeth. Ai ffuglen oedd hi, efallai, ar ffurf
dyddiadur? Ond pam trafod pwnc mor wrthun? Doedd
James Tomos Powel erioed wedi ymdrin â thestunau
aflednais yn ei waith. Os mai dyddiadur oedd hwn
yna'r unig esboniad oedd bod Wncwl Jimi wedi
dechrau colli'i bwyll yn ei henaint. Os gallai gwryw-
gydiaeth fod yn *phase* yn yr ifainc, roedd hi'n bosibl i'r
anghaffael ddychwelyd yn yr hen, am a wyddwn i.
Roedd e'n dost, bu farw o drawiad yn ei gwsg yn y
gwesty yn ôl adroddiad y crwner. Onid yw peth felly
yn dechrau yn yr ymennydd?

Rhaid i mi feddwl am hyn i gyd. Ches i ddim
trafferth cydwybod i losgi'r gyfrol honno'n syth. Yn
sicr dw i ddim eisiau crybwyll y peth wrth neb. Mae
cael sgrifennu am y profiad wedi bod yn fodd o sadio
teimladau cythryblus yn lle gadael iddynt droi a throi
yn y pen.

'Ti'n iawn? Beth yw'r mater?' gofynnodd Bryn y diwrnod o'r blaen. 'Dim byd. Pam ti'n gofyn?' 'Gweld ti'n disgwyl yn ddifrifol, yn dawelach nag arfer.' 'Diflastod dechrau'r tymor,' meddwn i, gan ychwanegu, 'a phoeni am Nhad, wrth gwrs. Heb sôn am weld eisiau Wncwl Jimi o hyd.' Esgusodion perffaith. Y gwir amdani yw 'mod i'n meddwl am y dyddiadur 'na o hyd ac o hyd. Wel dw i wedi cael amser i ystyried y mater a challio tipyn a bydd mwy o amser 'da fi i feddwl gan 'mod i'n sefyll gyda Mam a Nhad am y penwythnos ac yn bwriadu mynd i Aneddle i weithio.

Dw i wedi cael sawl cais i gyfrannu at raglenni (teledu a radio) sy'n ymwneud â bywyd a gwaith Wncwl Jimi a cheisiadau eraill yn gofyn i mi sgrifennu rhywbeth amdano. Rhaid pwyso a mesur pob un o'r galwadau hyn. Ar hyn o bryd buasai'r profiad yn rhy boenus.

Cefais lythyr hefyd oddi wrth fyfyriwr ymchwil yn Aberystwyth sy'n gwneud astudiaeth ar waith Wncwl Jimi. Dymuna weld 'llawysgrifau ac unrhyw ddeunydd anghyhoeddedig gan Dr J. T. Powel'. Gofynna yn blwmp ac yn blaen— 'a oes unrhyw ddyddiadur neu lythyron o'i eiddo yn bodoli?' Atebais yn syth, yn fy ffordd anffurfiol fy hun—

Annwyl Mr Morgan,
Diolch am eich llythyr ynglŷn â phapurau f'ewythr y diweddar Dr James Tomos Powel. Y mae croeso i chi ddod i weld yr hyn sydd ar gael unwaith fy mod i wedi cael trefn arnynt; gwaith sy'n mynd i gymryd sawl wythnos, fe dybiwn i.

Mae'r gwaith anghyhoeddedig yn ansylweddol. Ynglŷn â llythyron a dyddiaduron gallaf ddweud wrthych chi nawr nad oedd f'ewythr ddim yn un a arferai gadw llythyron ac nad oedd yn cadw dyddiadur o unrhyw fath.

Ysgrifennwch eto os gallaf fod o unrhyw gymorth,

Yr eiddoch yn gywir,

Sioned Bryn Lloyd

Medi 9

Diwrnod gwerthfawr yn Aneddle. Daeth Mam gyda mi i roi help ac i gymoni a chodi llwch. Dw i wedi gweithio yn y llyfrgell drwy'r dydd ac wedi neilltuo nifer o eitemau sylweddol i'w gwerthu i'r Llyfrgell Genedlaethol. Gwelais fod llawer o weithiau y gallwn i eu golygu a'u cyhoeddi: darlithiau Wncwl Jimi, storïau anghyhoeddedig, storïau anorffenedig, nodiadau ac yn y blaen. Ond dw i'n siŵr y bydd Aberystwyth yn awyddus i gael y llythyron oddi wrth holl gyfeillion llengar Wncwl Jimi.

Rhaid i mi fynd drwy'r bocseidiau o lythyron oddi wrth Syr John—rhaid bod cannoedd ohonyn nhw. Gohebiaeth sy'n rhychwantu cyfeillgarwch a barodd dros chwe degawd. Mae Wncwl Jimi wedi cadw'r cardiau yr anfonodd Syr John ato ar ei wyliau pan oedd y ddau yn gryts. Ond rhaid i mi fynd drwy'r llythyron hyn yn ofalus. Pam? Ydw i'n ofni canfod rhywbeth, yn amau rhywbeth? Ydw, yw'r ateb gonest. Dw i'n ofni rhywbeth doeddwn i ddim wedi meddwl amdano nes i mi weld y dyddiadur yna. Ond dwn i ddim pam. On'd oedd Syr John yn ŵr priod ac yn gapelwr fel Wncwl Jimi?

Ond rhaid i mi gyfaddef, mae pob math o syniadau fel hyn yn croesi fy meddwl bob dydd nawr. Ý cof—rhyw frith gof—o fechgyn yn y pentre yn dweud pethau am Wncwl Jimi a suon rhwng myfyrwyr yn y Coleg. Chymerais i ddim sylw ohonyn nhw ar y pryd. Achos doedd e ddim yn gallu gyrru ac yn gorfod teithio Cymru yn aml i draddodi darlithiau a mynd i gyfarfodydd a chynadleddau, arferai Wncwl Jimi fynd ar ofyn unrhyw fyfyriwr a oedd yn berchennog car. Talai'n hael iddyn nhw i fynd ag ef yn eu ceir i lefydd diarffordd ac anodd eu cyrraedd ar fysiau neu drenau. A daeth y storïau i'm clustiau i hyd yn oed. Ond wnes i ddim gwrando arnyn nhw, heb sôn am eu coelio; roeddwn i'n rhy ffyddlon i Wncwl Jimi.

Bûm yn osgoi un syniad yn hir. Yn gwybod ei fod yn ceisio cael gafael ar fy meddwl, fel ci'n ceisio dal eich coes a chithau'n edrych arno drwy gil eich llygad wrth redeg i ffwrdd, yn ofni troi'ch pen, yn ofni'r cnoad. Ond oni bai 'mod i'n ei drafod yma byddwn yn torri lawr. Alla i ddim crybwyll yr ofn hwn wrth neb arall er 'mod i'n siŵr nad oes rhithyn o sail iddo. Meddwl ydw i fod natur dyddiadur Wncwl Jimi yn Amsterdam yn esboniad posibl ar y dieithrwch rhyfedd a dyfodd rhwng fy mrawd ac Wncwl Jimi. Nawr 'mod i wedi sgrifennu'r peth dw i ddim yn teimlo'n well ond mae cywilydd yn fy llethu am feddwl y fath beth. Dw i ddim yn credu am eiliad y buasai Wncwl Jimi wedi gwneud unrhyw niwed i Huw nac wedi cyffwrdd ag ef fel'na—yn sicr ni fuasai Huw wedi goddef y peth. Ond ofnaf ei fod e wedi dweud rhywbeth wrth Huw, wedi sôn am ei deimladau neu rywbeth a bod Huw wedi cymryd yn ei erbyn am hynny. Os felly, mae Huw yn gwybod. Ond ofnaf 'mod i'n dyfalu gormod.

Chaf i byth wybod, beth bynnag, allwn i byth sôn am y peth wrth Huw.

Medi 10

Mynd i'r cwrdd yn y bore gyda Mam. Nhad yn rhy glawd i ddod, er mawr ofid iddo. Od mynd heb alw ar Wncwl Jimi ar y ffordd, roedd e'n gapelwr mor ffyddlon. Pregeth dda. Mae'n anodd gen i gredu na chymerodd Wncwl Jimi sylw o'r holl bregethau a glywsai mewn oes faith o gapela'n gyson.

Roeddwn i'n darllen llythyron Syr John yn y tŷ gwydr —yn eu cael nhw'n ddiddorol o safbwynt llenyddol a hanesyddol ond heb ddim i borthi f'amheuon, diolch i'r drefn—pan ddaeth Mam ataf. ''Co be dw i wedi'i ffeindio yn nesg Wncwl Jimi,' ac yn ei dwylo roedd 'na ddyddiadur arall. Mae proffwydoliaeth Wncwl Jimi wedi cael ei gwireddu; am fy mod i wedi edrych yn un o'i ddyddiaduron mae e wedi dod 'nôl i'm hawntio i. 'Wyt ti wedi disgwyl ynddo fe?' gofynnais i, braidd yn snaplyd, efallai. 'Nag ydw. Pam?' 'Dim rheswm, ond ti'n gwpod fel oedd Wncwl Jimi ynglŷn â rhai pethau,' meddwn i'n niwlog fel'na gan gymryd y dyddlyfr oddi wrthi a dechrau siarad am yr ardd a dweud tybed a oedd modd i'r Brifysgol dalu Roy i gadw llygad arni. Diolch i'r drefn, doedd dim chwilfrydedd yng nghroen Mam.

'Nôl yn Abertawe nawr. Dw i ddim yn mynd i edrych ynddo. Dw i'n mynd i'w ddodi fe mas gyda'r sbwriel yr wythnos 'ma. Allwn i ddim ei losgi yng ngardd Aneddle gyda Mam o gwmpas. Hwn oedd y dyddiadur roedd Wncwl Jimi yn ei gadw eleni, yr un cyfredol, yr un heb ei orffen. Roedd pob un o'r lleill yn cynnwys ac yn cynrychioli blwyddyn gron. Rhaid i mi gyfaddef, dw i'n cael 'y m'yta gan chwilfrydedd ysol i agor hwn a darllen tudalen efallai, neu dim mwy na llinell neu ddwy. A fuasai'r dyddiadur yn cadarnhau pethau a welais yn y cofnodion am ei wyliau olaf neu'n eu tanseilio ac yn profi fy namcaniaeth taw sgrifeniadau dyn tost oedd dyddlyfr Amsterdam? Ond na, wna i ddim edrych. Mae f'ofnau yn drech na'm gobeithion. Dyna beth erchyll i'w ddweud.

A nawr mae mwy o bethau yn dod i'm poeni. Beth oedd natur perthynas Wncwl Jimi a Roy Jones, a rhai o'i gydweithwyr? Ond y syniad gwaethaf, hyd yn oed gwaeth na'r rhai a gefais ynghylch Huw—beth oedd natur perthynas Wncwl Jimi a Nhad? Mae meddwl am y peth—a sut mae rhywun i gau allan meddyliau— mae meddwl am y peth yn codi cyfog, yn llythrennol. 'Be sy'n bod, cariad?' gofynnodd Bryn a finnau'n chwydu yn y stafell ymolchi. 'Rhywbeth o'n i wedi b'yta 'da Mam a Nhad.' 'Well i ti'u ffonio nhw rhag ofn eu bod nhw wedi cael yr un peth.'

Ond dw i wedi meddwl am y busnes ac wedi dod i'r casgliad 'mod i'n nabod fy nhad fy hun, hyd yn oed os nad oeddwn i'n nabod Wncwl Jimi.

Medi 17

Aneddle. Ces i lythyr yn ystod yr wythnos oddi wrth y boi Morgan 'na yn gofyn sut oedd fy ngwaith ar bapurau Wncwl Jimi yn dod yn ei flaen a phryd câi ef olwg arnyn nhw. Mae'n ymwthiol iawn ac mae 'na rywbeth amdano dw i ddim yn licio er dw i ddim wedi cwrdd ag ef eto. Ac alla i ddim gwrthod cwrdd ag ef na'i rwystro rhag dod i weld rhai o'r papurau—

detholiad ohonyn nhw, fy netholiad i. Soniais amdano wrth Nhad gan grybwyll f'amharodrwydd i ganiatáu i'r dieithryn hwn gael wilmentan yn y llawysgrifau. 'Rhaid i ti gwrdd ag e,' meddai Nhad. 'Mae 'da fe hawl os oes diddordeb 'da fe yng ngwaith Jim.' Ac wrth gwrs, Nhad sy'n iawn, fel arfer.

Y penwythnos 'ma bûm yn darllen rhagor o lythyrau Syr John ac eraill at Wncwl Jimi a rhaid i mi ddweud bûm yn disgwyl dod o hyd i fwy o dystiolaeth debyg i ddyddiadur Amsterdam; ond ches i ddim byd, dim llinell, dim tamaid. Nawr os oedd Wncwl Jimi yn wrywgydiwr go-iawn ar hyd ei oes alla i ddim credu y buasai fe wedi gallu cuddio'r peth oddi wrth bawb drwy'r amser. Ei guddio oddi wrth ei fam, ei ffrindiau —Syr John, Nhad—ei gydweithwyr a'i fyfyrwyr, heb sôn am beidio â'i grybwyll yn ei waith, yn enwedig yn ei nofel, roeddwn i mor gyfarwydd â hi, wedi'i darllen ugeiniau o weithiau. Buasai'r peth wedi bod yn annioddefol. Buasai fe wedi cracio, neu dw i'n teimlo'n siŵr y buasai fe wedi gadael mwy o dystiolaeth yn y tŷ hwn. Wedi methu cael dim yn ei bapurau hyd yn hyn, es i i wilmentan. Dim ffrogiau yn y wardrob, dim sgidiau sodlau uchel dan y gwely, dim *lingerie*, dim clustdlysau yn y drariau. Mae'r dystiolaeth neu'r diffyg tystiolaeth yn cryfhau fy nhybiaeth taw rhyw fath o wallgofrwydd dros dro oedd y nonsens a welais yn y nodlyfr; symptom afiechyd a gwendid. Hyd yn oed yn y ddogfen ddiwerth honno ni welais unrhyw ddatganiad pendant fel 'Rydw i James Tomos Powel yn wrywgydiwr'. Ofnaf fy mod i wedi camddehongli'r peth ac wedi neidio i gasgliad cyfeiliornus, llawn dychymyg. Mewn geiriau eraill, dw i wedi dod i'r casgliad newydd taw'r Wncwl Jimi roeddwn i'n ei nabod oedd yr Wncwl Jimi go iawn.

Darllenais y nodiadau a godais o'r dyddlyfr ffiaidd hwnnw unwaith eto a gwelais y darn lle mae'n sôn am ei 'unigrwydd enbyd'——dyna brofi doedd e ddim yn ei iawn bwyll yn ei ddyddiau olaf. Doedd ei 'unigrwydd' ddim yn enbyd. Gwyddai y gallai alw ar Mam a Nhad unrhyw adeg, unrhyw amser. Beth bynnag, roedd e wrth ei fodd ar ei ben ei hun yn sgrifennu yn y tŷ gwydr yn Aneddle. Dyna'r Wncwl Jimi a'r James Tomos Powel roeddwn i a phobl eraill yn ei nabod—— dyn hynaws a mwyn, caredig a deallus, myfyrgar a swil. Alla i ddim meddwl amdano fel anghenfil gwyrdröedig yn llygadu fy mrawd, yn glafoerio dros ei fyfyrwyr ac yn ysu am i ddynion fel Syr John neu Nhad gyffwrdd ag ef. Mae'r syniad o ddau ddyn yn gafael yn ei gilydd yn dyner ac, efallai, yn cusanu yn gwbl wrthun i mi. Oni ddywedodd Wncwl Jimi beth tebyg yn Amsterdam? Mae'n annaturiol a dw i'n siŵr nad oedd Wncwl Jimi yn 'un o'r rheini'. Beth bynnag, roedd tipyn o ddiddordeb iach mewn menywod 'da fe. Dywedodd Syr John Meredydd yn ei atgofion fod gan Wncwl Jimi gariadferch pan oedd e'n fyfyriwr ond ei fod yn rhy swil i'w chyflwyno hi i neb. Dw i'n cofio mynd gyda fe i un o'i ddarlithiau i gangen o Ferched y Wawr. Yn ystod y ddarlith ac yn y drafodaeth ar y diwedd bu Wncwl Jimi yn tisian yn aml. 'Oes annwyd arnoch chi, Dr Powel?' gofynnodd un o'r gwragedd. 'Nag oes,' atebodd Wncwl Jimi, 'rhyw fath o annodd-efedd, *allergy*, yw e.' Yna dywedodd un arall o'r menywod, yn hollol ddiffuant, 'Ry'n ni gyd yn gwisgo persawr 'ma heno. Falla taw dyna be sy'n eich hela chi i disian.' Ond mewn fflach atebodd Wncwl Jimi, 'Dw

i ddim yn meddwl, wa'th 'mod i'n ddigon cyfarwydd
â chael f'amgylchynu gan lodesi hardd persawrus.'
Chwarddodd y menywod a dw i ddim yn credu y
buasai gwrywgydiwr wedi gallu meddwl am rywbeth
fel'na i'w ddweud. Wnaeth e ddim cwrdd â gwraig
oherwydd ei swildod, dyna i gyd, a'm gwaith i yw
amddiffyn ei enw da.

Rhagfyr 7

Gan i mi orffen dosbarthu holl bapurau Wncwl Jimi
wythnos ddiwethaf mae Aneddle'n barod i'w dros-
glwyddo i'r Brifysgol. Ond cyn gwneud hynny
cydsyniais i weld y dyn Morgan yna gan ei fod wedi
dyfal doncio dros gyfnod mor hir i ddod i weld y
papurau a gweld cartref Wncwl Jimi.

Daeth yn y bore, yn y glaw. Dyn bach sbectlog
mewn cot ddwffl ddu. Daeth Mam i Aneddle gyda mi
(er bod Nhad yn rhy dost i'w adael yn hir) a gwnaeth
hi ddisgled o de a dodi bisgedi ar blât iddo a'u dodi ar y
ford gyda'r papurau roeddwn i wedi'u dewis i'w
dangos iddo. Os do. Aeth e'n wyllt gacwn. 'Peidiwch
â gosod y te 'na mor agos at y llawysgrifau gwerthfawr
'ma!' Bloeddiodd y geiriau gan ypsetio Mam yn lân.
Cymerais innau yn erbyn y creadur piwis yn bendant
wedyn ac roeddwn i'n hynod o awyddus i'w weld e'n
gadael Aneddle.

'Baswn i'n licio mwy o amser i astudio'r papurau
hyn yn drylwyr ac yn fy mhwysau,' meddai.

'Sdim gobaith trefnu cyfarfod arall,' meddwn i.

'Beth am drosglwyddo'r pethau anghyhoeddedig
'ma i'r Llyfrgell Genedlaethol?'

'Na,' meddwn i, 'dw i'n mynd i gadw rheina a'u golygu nhw fy hun.'

Edrychodd yn anfodlon.

'Ydych chi'n siŵr, Mrs Lloyd, nad oedd 'na ddim dyddiaduron?'

'Dim un,' meddwn i.

'Mrs Lloyd, ga i ofyn cwestiwn arall, un o natur bersonol, am Dr James Tomos Powel?'

'Gofynnwch chi.'

'Meddwl ydw i am yr awgrymiadau sydd yn y nofel *Y Gelli*, lle mae'r prif gymeriad, Elwyn—sy'n cyfateb i Powel Ifanc ei hun—a'i ffrind, Gruffydd—sy'n cyfateb i John Meredydd ifanc, o bosib—yn cerdded yn y gelli ac mae ar Elwyn awydd datgan rhywbeth wrth ei gyfaill, ond yn methu mynegi'i deimladau yn y diwedd. Y'ch chi'n cofio'r darn?'

'Ydw, dw i'n ei gofio'n iawn.'

'Meddwl oeddwn i, oedd James Tomos Powel yn hoyw?'

'Beth y'ch chi'n ei feddwl?'

'Oedd e'n wrywgydiwr?'

'Dyn â chymeriad glân oedd f'Wncwl Jimi,' gwylltiais, 'dyn caredig a sensitif. Pa hawl sy 'da chi i'w bardduo fe a llusgo'i enw da drwy'r baw a'r llaca? Cerwch o 'ma ar unwaith!' A dangosais y drws iddo.

Yfory dw i'n mynd i ddechrau'r gwaith ar gofiant Wncwl Jimi, Dr James Tomos Powel, er mwyn sicrhau y bydd hanes ei fywyd yn gywir a theg ac yn wrthrychol gan adlewyrchu holl rinweddau ei bersonoliaeth ardderchog.

Cynffon

Cariad Sy'n Aros yn Unig

Y Llythyrwr

Ym 1986, pan oeddwn yn byw yng Nghaerdydd cwrddais â myfyriwr ifanc o Awstria oedd yn astudio Saesneg. Daeth yn gyfaill i mi a dysgodd y Gymraeg yn rhwydd iawn; roedd e'n ieithydd dawnus. Ar ôl iddo ddychwelyd i'w famwlad anfonai lythyron ataf o bryd i'w gilydd. Detholiad o ddarnau o'r llythyron hyn a ganlyn.

Ar wahân i'w astudiaethau llenyddol, cyfeiria at ei gyfnod fel Zivildienstleistender mewn ysbyty meddwl ac at gyfnod ar stipend a'i galluogodd i dreulio ychydig o amser ym Merlin.

Pan nad oedd yn siŵr o'r Gymraeg arferai ddodi'r Saesneg mewn cromfachau gyda marc cwestiwn. Gan nad oeddwn yn deall Almaeneg, Saesneg, gan amlaf, oedd y bont rhwng ein dwy famiaith. Nid oedd yn ysgrifennu Cymraeg fel Syr John Morris-Jones, afraid dweud. Nid wyf i wedi ymyrryd â'i Gymraeg rhyw lawer, dim ond newid trefn ambell frawddeg lle nad oedd y meddwl yn glir a chywiro sillafiadau a threigliadau.

Lle mae darn o lythyr yn cael ei hepgor defnyddiaf [-].

Yn y llythyr cyntaf ataf dyfynnodd Wolfgang o gerdd gan Gwynne Williams, sef 'Yng Ngwasanaeth Coffa Philip Larkin' (Pysg, 1986, t104; cyfrol a rois iddo yn anrheg ar ei ymadawiad â Chymru). Mae'r darn a ddyfynnir yn gyfieithiad ac yn aralleiriad o eiriau Larkin ac fe'u cymerais fel teitl y detholiad hwn o lythyron. Er bod tinc sentimental i'r llinellau nid yw cerdd Larkin yn feddal o gwbl; gweler 'An Arundel Tomb'.

F'Annwyl M-

oherwydd
cariad
sy'n aros
yn unig
ohonom
bob un

Gwynne Williams

Mae llythyron bob amser yn hwyr, yn rhy hwyr, felly rwyt ti'n darllen fy ngorffennol bob amser. Mae ar lythyron angen *immediacy*. Mae llythyr yn annigonol, yn lle'r presenoldeb! Bydd fy meddyliau'n ymddangos yn ansad iawn a newidiol. Ond rydw i'n ceisio addasu. Mae pethau'n symud yn gyflym ac yn newid ymddangosiad yn fuan. Rydw i'n byw mewn *constant time lag*.

Cefais dy lythyr heddiw. Diolch o galon. Rydw i'n mwynhau dy lythyron di. Rwyt ti'n dod yn bresennol allan ohonynt. Rydw i'n clywed dy lais bron. Cefais y *Welsh Grammar* tua pythefnos yn ôl. Gobeithio y bydd yn help i mi wella fy Nghymraeg.

[-]

Rydw i'n darllen *Can Mlynedd o Unigedd* gan García Marquez ar hyn o bryd.

Cariad cynnes am byth

Wolfgang

Göfis
2.11.86

Annwyl M-

Diolch am dy lythyron a'r gerdd a'r llun o Morrisey. Dim ond llun ohonot ti fuasai wedi gwneud i mi deimlo'n hapusach (ydy'r geiriau yna yn fy ngwneud i'n 'gynffonnwr'?).

[-]

Pan oeddwn i yng Nghaerdydd cefais y teimlad i mi gael f'ail eni—neu fy ngeni am y tro cyntaf. Yno fe ddechreuais i fyw fy mywyd. Yno fe gymerais i gyfrifoldeb ohonof fi fy hun a'r ychydig o bobl rydw i'n eu caru. Yno fe ddechreuais agor fy hunan fel blwch cyfrinachol. Awn y tu hwnt i ffiniau llythyr (oni bai fy mod yn ysgrifennu un mor hir ag un *Alexis**) os am adrodd am bopeth a gefais yng Nghymru. Mor hapus oeddwn i. Roedd bywyd mor berffaith ag y gallai fod ac yna roedd rhaid i mi fynd yn ôl i Awstria, gwlad na allwn i feddwl amdani fel fy mamwlad eto.

M-, ni fuaset ti'n credu pa mor ddiniwed y mae pobl yma. Mor gyfyng yw eu bywydau: ysgol—gwaith/arian—teulu/eglwys—marwolaeth. A dydyn nhw ddim yn gallu deall dim byd y tu allan i'r fframwaith yna. Dyw gwrywgydiaeth ddim yn *bosibilrwydd* yma. Rydw i'n gwisgo fy nhriongl pinc. Does neb yn ymateb. Does neb yn deall ei ystyr.

[-]

Rydw i wedi bod yn darllen llyfr o gerddi gan Ingeborg Bachmann. Mae hi'n Awstriad (ai dyna'r ffordd i ddweud Austrian?). Bu farw yn ei gwely a losgodd o golli'i sigarét arno.

[-]

79

Liciwn i gwrdd â ti ym Mharis, rydw i'n edrych ymlaen. Rydw i'n ceisio gwella fy Nghymraeg.

Cofion
Wolfgang

[*Alexis*, nofel gan Marguerite Yourcenar ar ffurf llythyr hir gan ddyn at ei wraig yn cyffesu ei fod yn hoyw.]

Göfis
18.2.87

Annwyl M-

Rydw i'n falch iawn i glywed dy fod ti wedi cael fflat newydd. A oes ffôn gyda ti? (Yn ieithyddol mae'r cwestiwn hwn yn gymhleth iawn oherwydd ni fyddai'r ateb 'oes' yn ddigonol; mae'n ymholiad dan rith (*in disguise?*) i gael dy rif ffôn!). Byddai'n gyflymach ac yn haws i mi drefnu dod i aros gyda ti drwy ffonio.

[-]

Daeth Indiad Cheyenne i'n gweld ni. Siaradodd yn Saesneg ac yn ei famiaith a mwynheais ei chlywed yn fawr iawn. Mae Cheyenne, wrth gwrs, yn hollol annealladwy i mi; mae'n debycach i gerddoriaeth ryfedd. Roedd yn well gen i glywed y cerddi yn yr iaith wreiddiol er mwyn gwerthfawrogi eu rhythm hyfryd, tra oedd ei gerddi Saesneg yn swnio'n debyg i gyfieithiadau gwael. Mae'i gerddi'n anhygoel o syml. Mae'n dweud: 'Storïau wedi'u distyllu yw cerddi. Y broses o ddychmygu yw'r ffordd rydyn ni'n deall pwy ydyn ni. Mynegiant o'r broses o ddychmygu yw barddoniaeth. Rydw i'n defnyddio amrywiaeth o dechnegau i ysgogi agor ein hatgofion.' Cefais y teimlad ei fod yn gyfriniol (*mystical?*) iawn. Mae gwyntoedd yn cynrychioli

80

ysbrydion perthnasau marw. Personolir anifeiliaid, neu maen nhw'n alegorïau. Gallaf weld y tebygrwydd rhwng yr Indiaid a'r Cymry. Mae llawer o Indiaid yn cario'u gwreiddiau yn eu calonnau tra'n cael eu boddi gan system y dyn Gwyn, fel y Cymry gan system y Sais.

[-]

Cofion cynnes

Wolfgang

Innsbruck

[diddyddiad]

Annwyl M-

[-]

Wyt ti'n gyfarwydd â *Last Exit to Brooklyn* gan Hubert Selby? Mae'n llyfr *harrowing* ar y cyfan ond un o'i agweddau mwyaf diddorol yw'r bennod gyda 'brenhines' fel y prif gymeriad. Mae'r ffordd mae hi'n siarad a meddwl mor gywir (i mi, hynny yw). Tybed o ba le y cafodd yr awdur y deunydd, y 'dystiolaeth'— ydy e'n hoyw ei hunan tybed? Anfonaf ddetholion gyda fy llythyr nesaf, efallai, i weld beth wyt ti'n ei feddwl. Wna i ddim cymeradwyo'r llyfr er ei fod wedi'i ysgrifennu'n wych gan fod rhai golygfeydd creulon yn anodd i'w darllen, yn annioddefol, efallai.

Cymer ofal, mwynha dy hun a phaid â bod yn anniddorol (mae hwn yn ddyfyniad o dy lythyr di).

Cofion cu fel arfer

Wolfgang

Annwyl M-

[Cerdyn]

Diolch o waelod calon am adael i mi aros gyda ti. Roedd yr amser yn bwysig iawn i mi, ac wedi fy newid i, yn ei gwneud hi'n haws i mi fyw. Mae'n bwysig iawn i mi ac yn gwneud i mi deimlo'n hapus i wybod mai ti yw fy nghyfaill,

Cariad cynnes

Wolfi

Innsbruck
19.5.87

Annwyl M-

Mae popeth yma'n dawel yn Awstria. Mae'n harlywydd [Waldheim] yn anghofio popeth y mae'n well ei anghofio ac mae'n gobeithio i ni wneud yr un peth ag ef. Mae e'n mynd yn fwy ac yn fwy amhoblogaidd. Rydw i'n aros i ryw wallgofddyn i'w ladd.

Bûm yn meddwl am blot yn ddiweddar. Hoffwn ei droi yn stori (fer) neu'n gerdd (ond dydw i ddim yn sgrifennu barddoniaeth).

Mae dau berson yn cwrdd ar ôl amser hir. Ond dydyn nhw ddim wedi colli cysylltiad â'i gilydd—yn wir, efallai'u bod nhw wedi dod i adnabod ei gilydd yn well—ac eto mae arwahanrwydd yn dwyllodrus. Dyw syniadau'r naill am y llall ddim yn cael eu herio gan yr *alter ego* byw. Felly mae'r Un Arall (y Llall?) yn troi yn wrthrych cydgyfatebol ar gyfer eu gobeithion, eu breuddwydion a'u dyheadau.

Gadewch i ni feddwl fod y ddau yn wan, hawdd eu brifo ac yn od iawn yn eu ffyrdd unigolyddol—gadewch inni'u galw yn *idiosyncratic*. Sut maen nhw'n mynd i gyfathrebu a thorri allan o'u hunan-dwyll? Gadewch inni dybio hefyd fod y ddau'n caru'i gilydd ond mewn ffyrdd gwahanol ac am resymau gwahanol ac nad ydynt yn gallu rhoi mynegiant corfforol i'w serch. A gadewch i ni ddeall nad ydynt yn gallu ewyllysio'r weithred o garu. Gan eu bod fel y maent, beth fydd y canlyniad? Sut mae hyn yn mynd i gael ei ddehongli gan y naill a'r llall? Gan eu bod yn gaeth i'w hunain a oes modd iddynt dorri trwodd? Ydy'r cyfeillgarwch yn gallu goroesi'r peth?

Rhaid i ti gyfaddef fod gan y plot hwn ei fywyd ei hun a bod y diweddglo'n amryblyg (*manifold*?). Y diwedd trist yw: bydd eu cyfeillgarwch yn suro ac yna'n dod i ben yn gyfan gwbl, er gwaethaf eu cariad. Ond mae'n gas gen i ddiweddglo fel yna ac rydw i'n ymdrechu'n galed i feddwl am un gwell. Tra bo'r cymeriadau yn newid mae'r stori yn newid—felly mae'r amlinelliad o'u cymeriadau yn niwlog iawn. Pe bai'u cymeriadau wedi'u sefydlu ni fyddai unrhyw obaith gennyf. Mae'n well gen i obeithio.

[-]

Mae'n hwyr ac mae'r *Föhn* (y gwynt cynnes) wedi fy mlino i. Rydw i'n 'teimlo'r' tywydd—mae'r tywydd yn isel ac rydw i'n isel hefyd. A dydw i ddim yn meddwl hynny'n drosiadol. Mae'r rhan fwyaf o bobl yn ymateb yn gorfforol i dywydd-*Föhn*.

Cariad cu,

Wolfi

Annwyl M-

[-] Mae yna berson arall yr hoffwn i sôn amdani wrthot ti. Christina, mae'n dod o Sbaen, mae'n byw yn ardal y Basque. Mae'n llawn bywyd, dominyddol, hael, yn mynd dros ben llestri (yn enwedig gydag alcohol a thybaco) ac mae'n ddiddorol. Mae'n llawn storïau ac mae hi ei hun yn stori fyw. Mae hi wedi bod dros Ewrop i gyd ac mae hi'n casáu Innsbruck â chas perffaith. Dangosodd i mi fod yr Awstriaid yn llawn problemau nad ydynt yn broblemau o gwbl. Mae pobl yma'n dechrau llawer o'u brawddegau gyda 'y broblem yw . . .' Ble bynnag mae dyn yn mynd mae pobl yn trafod problemau. Yn ôl Christina mae'r Sbaenwyr yn poeni llai am achos pethau ond yn trysori prydferthwch y funud. Mae'n ffordd wahanol o edrych ar bethau. Mae ffrind i ffrind i mi, Maturot, yn dod o Thailand ac yno mae pobl yn canolbwyntio ar harddwch y foment hefyd. Mae gan eu holl lenyddiaeth amcan wahanol. Mae'n llenyddiaeth ni, fel arfer, ac yn gyffredinol, yn ceisio esbonio a datguddio, lle mae'u llenyddiaeth nhw yn ymwneud â phrydferthwch.

Ond mae'n dull dadansoddol a distrywiol ni o edrych ar bethau yn meddu ar ormod o rym gan ei fod yn ein galluogi i reoli natur yn well. Astudiodd Whorff iaith yr Hopi a daeth i'r casgliad fod y ffordd y mae pobl yn meddwl yn cael ei ffurfio gan strwythur ac ansawdd eu hiaith. Mewn Hopi ni chyfrifir dyddiau yn ein ffordd ni oherwydd, iddyn nhw, y mae pob diwrnod yn newydd sbon, cwbl wahanol i bob un blaenorol.

Mae'n f'atgoffa o ddarn o 'graffiti' a welais dro yn ôl—*What does it mean 'What's the time?'*

Rydw i'n darllen *The Man Without Qualities* sy'n dechrau'n wych ond sy'n llethol nawr ac mae gen i tua 1,500 o dudalennau i fynd!

Llawer o gariad

Wolfi

O.N. Os oes amser gen ti darllena *The Man Without Qualities*, yn enwedig pennod 8 sy'n dweud cymaint am Awstria. Dim ond 2-3 tudalen sydd i'r bennod hon. Dyma Musil ar ei orau.

Innsbruck
30.12.87

Annwyl M-
Diolch am y *dinosaur* pinc. Mae'n fy ngwarchod i.
[-]
Petaswn i ddim wedi cael y *stipend* yna buaswn i wedi meddwl eu bod nhw'n homoffobig. Mae'n anodd gwrthsefyll y demtasiwn i ddefnyddio'n 'gormes' fel arf. Dyna beth oedd y duon yn arfer ei wneud tan yn ddiweddar: 'Os nad ydych chi'n gwneud yr hyn rydw i eisiau, rydych chi'n hiliol.' Mae menywod yn ei wneud e o hyd. Mae pob lleiafrif yn ei wneud e. Rydw i'n lleiafrif ond rydw i'n grac (fy hoff air Cymraeg) os ydw i'n dal fy hun yn ei wneud e. Y broblem ynghlwm wrth weld eich hunan fel lleiafrif yw fod eich personoliaeth yn cael ei leihau ac mae'r agwedd dan ffocws yn llethu pob agwedd arall.
[-]
Rydw i'n dal i weithio ar fy nhraethawd ar *Last Exit to Brooklyn* (Hubert Selby Jr). Rydw i dan bwysau nawr oherwydd bod raid i mi'i orffen o fewn wythnos

a dim ond casgliad gwasgaredig o syniadau sydd gen i. Rydw i wedi darllen nifer sylweddol o erthyglau ar y llyfr ac mae'n syfrdanol yr holl ffrwydradau emosiynol (*emotional outbursts*?) a achoswyd gan y nofel. Cafodd ei gwahardd ym Mhrydain yn 1965 oherwydd iddi gael ei hystyried yn bornograffig ac anweddus (*obscene*?). Tybed a yw hi ar gael yno nawr? Mae'n syfrdanol mor haerllyg (*blatantly*?) y datguddia beirniaid eu rhagfarnau a'u *ideologies* wrth ysgrifennu am y llyfr hwn.

Llawer o gariad

Wolf

Innsbruck

10.1.88

Annwyl M-

Diolch am lythyr cyntaf y flwyddyn.

[-]

Rwy wedi gorffen fy nhraethawd (fwy neu lai) ar *Last Exit to Brooklyn*, ac yn teimlo'n weddol fodlon ar fy ngwaith. Ein testun cyffredinol yw 'ffuglen ddinesig' (fy ymgais i ddweud *urban fiction* yn Gymraeg) ac rwy wedi bod yn feirniadol iawn o gyflwyniadau pobl eraill hyd yn hyn—y rhan fwyaf ohonynt beth bynnag. Mae'n fy nigio i pan fo'r unig ymateb i destunau llenyddol yn rhai moesol (hynny yw *moral judgements*), mynegiant o deimladau (ffug) yr honnir iddynt gael eu hysgogi gan y nofel, a gwirebau (*truisms*?) fel: 'Cefais fy mrawychu/ fe'm siglwyd i'm seiliau/'*I was deeply moved*' . . . Roedd hi'n anghywir i . . . Dylsai fe ddim bod wedi . . . Nofel yn erbyn materoliaeth yw hon' (onid yw pob ffuglen o ddifri yn wrthfaterol?). Am wastraff amser! Ond ar ôl fy holl feirniadaeth (nad oedd i'w chlywed yn y dosbarth bob tro, rhaid cyfaddef) rhaid i'm cyflwyniad i fod yn arbennig.

[-]

I'r rhan fwyaf o strêts mae gwrywgydwyr yn strêts sydd wedi mynd yn *wrong*, hyd yn oed i'r rhyddfrydwyr.

[-]

Yn ôl yr ôl-strwythurwyr mae pobl yn bodoli drwy iaith—yr iaith sydd yn eu 'meddwl' nhw. Dyw ôl-strwythurwyr ddim yn anelu at sefydlu *coherent ideology*, yn hytrach eu nod yw lleoli grym a'i ddatguddio, i ddatgelu strwythurau, i ddangos sut mae pethau'n cydweithio, gwrthweithio. Pobun yw ei wrthryfelwr ei hun.

Efallai fod y llythyr hwn yn un dryslyd iawn ond y pethau hyn sy'n bwysig i mi ar hyn o bryd.

Cariad cu fel arfer

Wolfi

Innsbruck
25.1.1988

Annwyl M-

Cefais dy lythyr heddiw. Mae arholiad gyda fi ddydd Iau felly dim ond dechrau llythyr yw hwn.

Diolch am ddylunio clawr *Penhouse*—mae'n ardderchog ar gyfer ein cylchgrawn ni ac mae pawb yn ei licio.

Wrth gwrs liciwn i gwrdd â ti ym Merlin. Bydd rhaid i mi logi (*rent?*) ystafell yno am y mis, beth bynnag, felly byddi di'n gallu aros gyda mi, mwy na thebyg. Rydw i'n siŵr y byddi di'n licio Berlin cymaint â Pharis.

[-]

Rydw i wedi ailddarllen dy lythyr. Mae dy brofiad gyda'r *transvestite bricklayer* yn swnio'n anhygoel (*fantastic?*). Ysgrifennodd Philip Roth erthygl am broblem llenorion modern wrth iddynt wynebu realiti —mae realiti bob amser gam ymhellach ymlaen (?) na ffuglen, sydd yn llawer mwy 'tebygol'. Dyna'r prawf i ti!

Rhaid i mi ddweud diwedd trist fy nghariad tuag at George. Ar ôl blwyddyn o guro calon (*heart-throbbing?*) a choesau jeli (*jelly knees?*) bob tro roeddwn i'n ei weld e, penderfynais fod rhaid gwneud rhywbeth, felly gofynnais iddo ddod am gwpaned o goffi. Cyn hir roedd y ddau ohonom yn *intimate* (oes gair Cymraeg?). Roedden ni'n siarad fel pe bai'r flwyddyn ddim wedi bod. Cyn y Nadolig fe es i i'w weld e eto ond roedd hi'n lletchwith, a pheth arall, sylweddolais ein bod ni'n siarad ar lefelau gwahanol. Doedd ein dau fyd ddim yn cysylltu bellach. Beth bynnag, roedd popeth yn iawn nes iddo sôn ei fod wedi cael cariad yn syth ar ôl i mi beidio â'i weld e. O'r eiliad yna gwelais yr ochr *not-so-gorgeous* a *not-so-charming* iddo a diffoddwyd yr hud (rydw i'n ceisio dweud *the spell was broken*). Beth sy'n rhyfedd—nawr nad oes gen i ddiddordeb ynddo fe, mae e'n dangos diddordeb ynof fi! Nid yn unig nad yw'n dau fyd yn cysylltu, mae ganddyn nhw ddwy amserlen wahanol! Alla i ddim ei gymryd e o ddifri nawr a'r tro diwethaf i mi'i weld mi wnes i hwyl am ei ben drwy'r amser.

[-]

Dyma ddiwrnod f'arholiad. Codais am 6.30 i edrych dros fy nodiadau. Liciwn i gael cwestiwn ar y stori fer ôl-fodernaidd. Carwn i ysgrifennu ar y pwnc yna yn fwy na dim byd arall. Rydw i'n gwybod bod

88

modd ysgrifennu *rhywbeth* bob amser ond dydw i ddim eisiau ysgrifennu dim ond er mwyn llenwi tudalennau.

Es i weld ffilm o'r 60au o *Ulysses*. Eitha da. Roedd Bloom yn wych a rhaid ei bod yn rhan ffycin anodd i'w chwarae. Roedd Dedalus yn *boring*. Roedd ymson Molly Bloom yn ardderchog. Roedd rhyw deimlad priddlyd (*earthy?*), *sensuous* a 'bach yn *grotesque* i'r ffilm. Wyt ti wedi darllen y llyfr? Mae rhannau ohono yn *hilarious*.

Gyda llaw, defnyddiais y gair 'ffycin' oherwydd rhywbeth ddywedodd ffrind i mi. Roedden ni'n siarad am yr holl ffyrdd y gellid dweud *go away* yn Saesneg a dywedais i nad oedd dim byd mor gryf â *fuck off* yn Almaeneg. A dywedodd hi 'Ie, does dim lot o ffycio yn Almaeneg'. Cytunais i, wrth gwrs. Rydw i'n cofio darllen yn rhywle fod gwreiddyn Celtaidd i'r gair *fuck*.

[-]

Cefais y cwestiwn roeddwn i wedi gobeithio ei gael. Blinedig nawr,

Cariad cynnes

Wolfi

Dyma atodiad i'm llythyr—syniadau ychwanegol—

Rydw i wedi sôn am *Last Exit to Brooklyn* yn barod. Mae Selby yn deall bod ymwneud pobl â'i gilydd yn seiliedig ar rym a hefyd fod pobl yn gaeth i 'weledigaethau'. Buaswn i'n dweud 'damcaniaethau ynglŷn â bywyd'. Mae'r gweledigaethau hyn yn dweud wrth bobl am beth i chwilio, beth i obeithio amdano, beth i gilio rhagddo, *etc*. Maen nhw'n trefnu byd pobl; dyna'u map trwy fywyd, yn dweud wrthynt pa heolydd i'w dilyn. Cafodd stori Georgette '*The Queen is Dead*' effaith ddofn arnaf oherwydd bod cymaint ohono (ohoni) ynof fi. Mae hi mewn cariad (?) â 'John' treisgar, gwyllt. Ti'n nabod y *type*. '*Georgette was a hip queer . . . feeling intellectually and aesthetically superior to those (especially women) who weren't gay (look at all the great artists who were fairies*!). Yn y stori hon (sydd yn llwyddo'n rhyfedd iawn i ddeffro cydymdeimlad y darllenydd tuag ati), mae'r weledigaeth hon yn cael ei chwalu ac mae hi'n peidio â bodoli. Nawr, y pwynt yw fod y gweledigaethau hyn yn cael eu 'rhoi' i bobl (e.e. mam, gwraig, dyn go-iawn), maen nhw'n *prefabricated individualities*, ac wrth eu derbyn a'u mewnoli mae pobl yn cael eu dieithrio oddi wrth *eu hunain*. Mewn erthygl ar y llyfr dyfynnir Frantz Fanon sy'n dweud fod pobl wedi mewnoli 'codau (*codes*?) diwylliannol ac ieithyddol y gormesydd'. Wrth roi '*prefabricated individualities*' (sut mae dweud hyn yn Gymraeg? Beth am 'unigoliaethau rhagwneuthuredig'?) maen nhw'n troi'n rhagweladwy ac yn cael eu rheoli o'r tu mewn. Y broblem gyda'r gweledigaethau hyn yw eu bod yn galed, anhyblyg ac mae unigolion yn gwneud popeth o fewn eu gallu i'w cynnal. Mae'r gweledigaethau yn dechrau cael eu bywyd eu hunain nes iddynt ddechrau llywodraethu'r sawl sy'n eu coleddu. Credaf fod pobl yn ceisio ystumio (*manipulate*) 'realiti' er mwyn amddiffyn eu gweledigaethau neu maen nhw'n gwylltio ar brydiau. Mae gweledigaethau yn bwysig ond rhaid iddynt fod yn hyblyg a rhaid iddynt ddod o'r tu mewn.

Cymer ofal, cofion cu eto

Wolfi

Annwyl M-,

Wyt ti wedi clywed am yr etholiadau yn Awstria? Y prif enillydd yw'r blaid y dywedir ei bod yn llawn Natsïaid. Maen nhw wedi cael 7% yn ychwanegol o'r bleidlais. Mae'n ddychrynllyd a dydw i ddim yn credu'r peth. Mae'r Gwyrddion hefyd wedi cael lle. Galwodd arweinydd y Gwyrddion arweinydd y Natsïaid yn '*demagogue*' ar ôl yr etholiad a chymharu pethau â'r 1930au. Hefyd gwrthododd siglo llaw ag ef.

Cofion

Wolfgang

F'annwyl M-

Llythyr byr fydd hwn. Mwy o neges, mewn gwirionedd.

Ddydd Gwener byddaf yn hedfan i Crete am wythnos i ymlacio. Felly dyma fi'n meddwl y buaset ti'n licio ymlacio hefyd, gan dy fod ti'n dysgu'r holl bobl yna. Mae gen i £10 o hyd ar ôl y tro diwethaf i mi aros gyda ti. Liciwn i anfon y rhain atat i ti gael mynd allan am ginio gyda rhywun rwyt ti'n ei licio ac yn mwynhau mynd allan gyda fe. Dydw i ddim yn siŵr bod modd prynu cinio i ddau â £10 ond mae'n gyfraniad. Wrth gwrs rwyt ti'n rhydd i fynd gydag unrhywun ond buasai'n well gen i taset ti ddim yn mynd gyda Gloria—mae e'n *foring* [*sic*] ac yn ffug. Na Stewart roeddet ti'n arfer rhannu fflat gyda fe—mae e'n waeth! Buasai'n neis taset ti'n gallu mynd gyda rhywun rwyt ti'n ei garu, neu o leiaf rhywun dwyt ti ddim wedi bod allan gyda fe ond wastad wedi dymuno mynd allan gyda fe.

Felly i ffwrdd â mi i wlad Groeg. Pwy ddywedodd *'There's nothing like tourism for narrowing the mind'*?

Cofion

Wolfgang

Annwyl M-

Newydd ddod yn ôl o gartref Evelyn lle gwelais anerchiad Waldheim i'r genedl. Mae'n rhyfeddol oherwydd mae'n argyhoeddedig fod y 'lleiafrif o radicaliaid' sydd yn ei wrthwynebu yn ddim byd ond criw sbeitlyd sydd eisiau dymchwelyd y genedl. Mae'n meddwl ei fod yn gwneud cymwynas ag Awstria wrth gario ymlaen fel arlywydd. Dadleua Waldheim ei fod e wedi cael ei ethol am 6 blynedd ac y byddai'n annemo-crataidd pe bai'n sefyll lawr cyn diwedd yr amser. Ar hyn o bryd mae Awstriaid mor brysur yn ystumio geiriau a gweithredoedd nes bod pobl yn methu deall ei gilydd. A oedd 'anwybodaeth' Waldheim yn fath o 'amnesia' neu a oedd e'n dweud celwydd? A ddatganodd yr adroddiad ar ei orffennol iddo fod yn ddieuog neu brofi ei fod yn gelwyddgi? Mae ystyr democratiaeth yn Awstria'n dod yn fwy clir: mae pawb sydd yn erbyn Waldheim neu sy'n gwrthdystio yn 'annemocrataidd'. Mae euogrwydd wedi cael ei ailddiffinio mewn sawl ffordd hefyd: dadleuodd Graff na ellid dweud bod Waldheim yn euog oni ellid profi

92

iddo dagu 6 (!) o Iddewon â'i ddwylo'i hun. (Pam 6 tybed? Pam eu tagu?) Dywedodd Waldheim, 'Dyw gwybod am anfadwaith ddim yn gyfystyr ag euog- rwydd'. Rydw i wastad wedi credu os yw fy nghymydog, er enghraifft, yn curo'i wraig a finnau'n gwybod a heb wneud dim, y byddwn i'n euog o'r canlyniadau hefyd. Mae Awstria yn wlad ranedig oherwydd Waldheim. Efallai y daw amser pan fydd hi'n beryglus gadael i bobl wybod a ydych o blaid neu yn erbyn Waldheim. Yn ei anerchiad siarsiodd Waldheim yr Awstriaid (y gwleidyddion yn arbennig) i roi'r gorau i'w feirniadu oherwydd dim ond wedyn y gellid disgwyl i wledydd eraill beidio â'n pardduo ni (neu ef, yn hytrach).

Rydw i'n ei gasáu a phawb sy'n ei gefnogi drwy anwybyddu a gwadu'r dystiolaeth.

Dyw pobl ddim yn gweld y cyffredinol yn yr unigol. Mae'r rhan fwyaf o Awstriaid yn sylweddoli bod gwrth-semitiaeth yn annerbyniol (gobeithio), ond mae'n eithaf cyffredin clywed pobl yn siarad yn erbyn y Twrciaid. Mae *Xenophobia* yn rhemp yn Awstria. Ond dyw pobl ddim yn gweld y syniad cyffredinol rhwng y ddau beth yna.

Mae'n amlwg i mi fod Thatcher yn ffasgaidd ond dyw pobl ddim yn gweld y peth oherwydd dydyn nhw ddim wedi twrio o dan wyneb ffasgaeth i'w pheirianwaith.

Cariad cynnes

Wolfi

Annwyl M-

[-]

Rydw i wrth fy modd yn gadael i bobl syrthio i'w maglau meddyliol eu hunain. Mae'r maglau hyn yn dweud llawer am y ffordd mae meddwl person yn gweithio. Dyna'r gwirionedd plaen. Os dywedaf wrth fy chwaer-yng-nghyfraith fy mod i'n mynd i gwrdd â Margarete heno mi wn, wrth gwrs, ble mae'i meddwl yn mynd [*sic*]. Mae'r rhan fwyaf o feddyliau yn dilyn 'hen rigolau' (fel *Rhigolau Bywyd* Kate Roberts).

Dyna beth rydw i'n ei licio am *Last Exit to Brooklyn*: mae'n darlunio rhai o brif rigolau cymdeithas gan eu goleuo mewn ffordd artistig fel bod y darllenydd yn gallu'u darllen fel *cul de sac*. Dyna brif ddiddordeb y nofel mae'n debyg.

[-]

Gan dy fod ti'n sôn am Kafka—wyt ti wedi darllen 'Bartleby' gan Melville? Dyna stori Kafka-aidd (Kafkaesque?), ond mae'n cyn-ddyddio Kafka, wrth gwrs. Am Bartleby y *scrivener* y mae hi, sy'n cymryd gwaith gan roi'r gorau i wneud mwy a mwy o bethau drwy ddefnyddio'r geiriau '*I would prefer not to*'. Mae'n ddarn o ysgrifennu gwych. Adroddir y stori o safbwynt y cyflogwr sydd ar goll o ran sut i drin y sefyllfa.

[-]

Cofion cynnes

Wolfi

Annwyl M-

[-]

Na, dydw i ddim yn synnu clywed dy fod ti'n 'dwlu' ar 'Bartleby' a'i bod yn un o dy hoff storïau. Ydw, rydw i'n cytuno'i bod hi'n gampwaith a bod yna ryw ddirgelwch yn ei grym. Mae Bartleby ei hun yn f'atgoffa o'r Indiad yn *Moby Dick* sydd yn ymwrthod â gwneud pethau ac yn gwrthod cyfathrebu nes ei fod yn cyflawni rhyw fath o hunanladdiad di-drais wrth ei ewyllys ei hun. Ac wrth gwrs, mae'r busnes ar y diwedd ynglŷn â'r *'dead letter office'* yn cloi'r stori'n wych gan ein gadael ni gyda rhyw fath o bos (*puzzle?*). Mae'r cyfan mor gredadwy nes ein bod ni'n gofyn 'A oes sail gwir i'r stori hon?' (fel rydyn ni'n gofyn ar ôl darllen *Moby Dick* hefyd). A beth ddigwyddodd i Bartleby i'w ddieithrio gymaint oddi wrth bobl? Mae gen i ffrind sydd yn gweithio gyda phobl fel'na; mae e wedi sôn am un achos lle mae dyn ifanc (yn ei ugeiniau cynnar rydw i'n meddwl) wedi mynd i eistedd yn ei blyg (*bent over?*) ac yn gwrthod siarad â neb na gwneud dim. Does neb yn gwybod pam ond credir ei fod wedi cael ei gam-drin pan oedd e'n ifanc. Ond i ddod yn ôl at 'Bartleby', credaf mai cyfrinach y stori yw'r 'adroddwr', y *'rather elderly man'* sy'n cael ei daflu oddi ar ei echel gan Bartleby. Ychydig iawn o wybodaeth y mae Melville yn ei rhoi inni amdano fe gan ei fod yn canolbwyntio ar ei weithwyr a Bartleby yn ei naratif. Ond mae Melville yn awgrymu llawer. Mae'r dyn ei hun yn cydnabod ei fod yn *'eminently safe'*. Ac mae popeth yn awgrymu'i fod yn hen lanc. Does dim un cymeriad benywaidd o gwbl yn y stori hon. Nid wyf yn gweld hyn fel agwedd *mysoginistic* ond fel ymgais ar ran yr awdur i greu byd llenyddol cyfun-rhywiol—fe gredir yn gyffredinol taw gwrywgydiwr cudd oedd Melville. Ac mae llawer o bethau rhywiol yn digwydd yn y stori. Beth yn union oedd Bartleby yn ei wneud yn y swyddfa '*in a strangely tattered deshabille . . . approaching nudity*'? Er bod yr adroddwr yn dweud, '*Was anything amiss going on? Nay, that was out of the question. It was not to be thought for a moment that Bartleby was an immoral person*', mae'r syniad wedi croesi'i feddwl. Ac yn nes at y diwedd y mae'r hen ddyn yn cynnig cymryd Bartleby i fyw gyda fe—ond mae Bartleby yn gwrthod, wrth gwrs. Y gwir amdani yw fod yr hen ddyn wedi cwympo mewn cariad â'r dyn ifanc neu ni fuasai wedi dioddef ei ymddygiad yn hir, buasai fe wedi rhoi'r sac iddo ar y dechrau. Wel dyna ddehongliad syml wedi'i seilio ar ddyfaliadau anacademaidd. Ac mae'r llythyr hwn mewn perygl o droi'n draethawd.

Cofion

Wolfi

Berlin
1.5.88

Annwyl M-

Dyma ddechrau fy nhrydedd wythnos ym Merlin ac yn barod mae'r syniad o orfod gadael ymhen pythefnos yn torri fy nghalon. Buaswn i'n caru aros.

Dwn i ddim beth sy'n gwneud i Ferlin fod mor ddeniadol. Tybiaf fod pobl yma'n gwerthfawrogi rhyddid am eu bod yn credu'u bod wedi'u hamgylchynu gan dir y gelyn. A chan fod gwrywgydiaeth yn un arwydd

o ryddid mae'n cael ei goddef (er nad yw'n cael ei
derbyn yn llwyr) gan y mwyafrif ym Merlin. Yma
teimlaf fod gen i statws cyfartal i'r strêts gan fod
hoywon mor weladwy yma.

[-]

Bûm i mewn siop ryw i hoywon am y tro cyntaf
erioed. Llawn cyffro. Rydw i eisiau gweld pethau.
Hyd yma rydw i wedi bod yn siarad yn erbyn pethau
heb gwrdd â nhw (heb sôn am eu profi). Roeddwn i
(yr ydw i, mewn gwirionedd) yn ofnus a cheisiais
guddio'r ofn hwn y tu ôl i foesoldeb. Gwelaf yn awr
mai ofn ydoedd. Pan es i mewn i'r siop ryw yna, aeth
fy nghalon yn wyllt. Rydw i'n bwriadu gwylio un ffilm
bornograffig i'r diwedd—er nad wyf yn siŵr a allaf
drechu fy rhwystredigaethau. Mae'n bwysig i mi. Mae
Berlin yn agor golygfeydd (*vistas*?) newydd i mi. Rydw
i eisiau chwilio fy moesoldeb a'i brofi yn erbyn
'realiti'. Fel y cylchgronau canol caled (*hardcore*?) a
welais i; maen nhw'n wrthun ac eto'n gyffrous mewn
ffordd ryfedd. Maen nhw wedi poeni fy nychymyg fel
hunllef (efallai fy mod yn gorddramateiddio'r effaith
ychydig). Rydw i eisiau gweld amrywiaeth o bobl
hoyw.

[-]

Mae popeth mewn *flux* yma. Dylet ti ddod i Berlin
unwaith er mwyn profi hyn. Roedd fy mywyd yn
ceulo (*clotting*?) yn Innsbruck.

Carwn i dy weld ti yn amlach i siarad â ti. Hoffwn i
deithio drwy Ferlin gyda'n gilydd i drafod y lle. Felly
dyna Paris a Berlin ar ein *agenda* nawr. A gawn ni byth
fynd i'r llefydd hyn gyda'n gilydd, tybed? Mae'n gas
gen i feddwl y byddaf yn cael fy nghladdu yn Innsbruck
am fisoedd i ddod.

Dyma fi ym Merlin—GORFOLEDDUS. Cariad cu, cofion cynnes.

Wolfi

Innsbruck
18.5.88

Annwyl M-

[-]

Bydda i'n meddwl bod pobl sy'n 'gollwng' eu cyfeillion unwaith maen nhw wedi dod o hyd i garwr yn dwp a ddim yn werth eu cadw fel ffrindiau.

[-]

Roedd Berlin yn lle rhyfedd. Roedd yr wythnos gyntaf yn ofnadwy. Chwilio am stafell, dod yn gyfarwydd â'r llyfrgell a'r bobl yno, teimlo'r ddinas. Ond roeddwn i'n lwcus. Roedd Markus, fy landlord cyntaf, yn gyfeillgar ac yn garedig. Un noson siaradodd y ddau ohonom am bob math o bethau—fy mod i'n hoyw; fe wyddai o'r dechrau, er nad oedd e'n hoyw. Y noson honno 'torrais i mewn' i Ferlin. Es i bob math o lefydd—*cafés, bars, discos*. Roeddwn i'n awyddus i weld ac i gofio. Roeddwn i eisiau colli peth o faich fy magwraeth. Es i mewn i siopau *porno* hoyw: gwrthun, cyffrous. Mae hyd yn oed y cylchgrawn 'amrwd' yn erotig. Mae eroticiaeth yn hydreiddio'r lle gan ei fod wedi'i 'gysegru' i ryw bur. Ar ôl pythefnos roeddwn i eisiau profi. Felly fe baratois fy hunan i fynd i ddisgo (nad oeddwn i'n arbennig o hoff ohono) ac es i gyda dyn di-nod na fuaswn i wedi sylwi arno dan amgylchiadau arferol ond roeddwn i'n awyddus i brofi rhyw gyda pherson nad oeddwn i eisiau mynd gyda fe. Aethon ni i 'westy awr' a gwnes i iddo deimlo'n wych, fel putain yn plesio cwsmer. Wedyn dim ond ffilmiau pornograffig oedd ar ôl a chymerais bedair wythnos i ddod dros fy *barriers*. Yno, wedyn, es i'r lle hwn ac roedd hi'n gyffrous, poeth, gwlyb, fel breuddwydion —ond ffeithiau pur—a finnau'n un ohonyn nhw. Pawb ar wahân ac eto yn ymwybodol o beth oedd yn digwydd. Daeth ef i eistedd wrth f'ochr ac roedd hwn yn olygus. Gwyliais ef yn lle'r ffilm a gwyliodd ef fi. Aethon ni am dro, siaradodd ychydig. Creodd ddymuniadau ynof a gafodd eu bodloni yn y fan a'r lle. Ei enw yw Georg a dim ond 21 yw e. Dydw i ddim yn gwybod llawer amdano ar wahân i'r ffaith fy mod i'n ysu amdano—ei gynhesrwydd, ei gorff, ei goc. Felly roedden ni gyda'n gilydd am ychydig oriau, ychydig iawn, rhyw ugain awr, cyn bod rhaid i mi adael am Innsbruck. Onid yw hi'n anhygoel bod rhaid i mi gwrdd â dyn mewn sinema ffilmiau pornograffig o bob lle yn y byd? Mae mor annhebygol, mae'n rhamantus!

Dyna Ferlin i mi. Dim rhyfedd fy mod i eisiau mynd yn ôl.

Cariad cynnes

Wolfi

Innsbruck
19.7.88

Annwyl M-

[-] Mae'n wir, doeddwn i ddim eisiau i bobl 'hoffi' *Last Exit*, ond roeddwn i'n gobeithio y buasai'n dod yn *bwysig* i'w bywydau, yn *berthnasol*. Gan gymryd bod pob nofel yn gofyn am ei ffordd arbennig ei hun o'i darllen, roeddwn i'n chwilio am ddarlleniad i gydfynd â'i 'hamcan'. Rwyt ti'n gweld, fe feirniadwyd y

99

nofel yn hallt gan lawer o feirniaid. Ond rydw i'n credu pan fo pobl yn ymateb mewn ffordd mor eithafol i nofel mae'n amlwg ei bod yn cynnwys agweddau o'u *psyche* nad ydynt yn dymuno eu cydnabod. Mae'r nofel hon, fe ymddengys, yn fygythiad peryglus i gydbwysedd brau llawer o bobl. Dydw i ddim yn 'hoffi' *Last Exit*. Pan ddarllenais hi'r tro cyntaf teimlwn yn sâl, bron. Wrth i mi geisio'i deall, a'i gwneud yn bwysig i mi fy hun, fe lwyddais i ddwyn ei 'hergyd' ohoni, a hefyd, fe newidiais fy ffordd o weld pethau.

Cofion,

Wolfi

[Diddyddiad, dileoliad]

Annwyl M-

[-] Prynais bentwr o gylchgronau canol caled (*hardcore?*) ym Merlin a'u postio ataf fi fy hun rhag ofn i mi gael fy nal wrth y *customs*. Labelais yr amlen 'Deunydd Academaidd'—beth arall?

Cyn i mi fynd i Ferlin roeddwn i'n derbyn safbwynt y ffeministiaid ar bornograffiaeth—hynny yw, ei bod hi'n ffiaidd am ei bod yn ecsploitio pobl. Yn awr, gwelaf fod hwn'na'n wir am bornograffiaeth hetero-rywiol sy'n defnyddio menywod ond dyw'r un peth ddim yn wir o gwbl am bornograffiaeth hoyw. Mae byd o wahaniaeth rhwng pornograffiaeth hoyw a phornograffiaeth strêt. Mae'n amlwg nad yw'r modelau mewn pornograffiaeth hoyw yn cael eu defnyddio yn erbyn eu hewyllys. Mae'r dynion hyn *eisiau* dangos eu hunain o flaen y camera, maen nhw wrth eu bodd, neu, fel arall, ni fuasent yn gallu 'perfformio'. Mae'n amlwg bod y rhan fwyaf o'r modelau hyn yn gwneud y peth o ran hwyl, nid am yr arian yn unig (sy'n siŵr o fod yn ansylweddol) ond am y *kick*.

Wrth gwrs, mae byd o wahaniaeth arall rhwng pornograffiaeth *paedophile*. Mae ecsploitio plant yn ffiaidd a gwrthun ac yn hollol annerbyniol.

Ond dydw i ddim yn gweld pam fod rhaid inni dderbyn pregeth y ffeministiaid ar bornograffiaeth hoyw i ddynion. Rhaid i ffeministiaid sefyll dros eu dymuniadau nhw a rhaid inni sefyll dros ein dymuniadau ninnau. Nid ochr arall i geiniog ffeministiaeth a Lesbiaeth yw hawliau hoyw. Mae gormod o ddynion hoyw yn credu hynny.

Beth sydd eisiau arnon ni yw *critique* ar bornograffiaeth hoyw. A liciwn i weld rhyw fath o fudiad '*separatist*' i wrywgydwyr. Hunanlywodraeth i hoywon! Ar hyn o bryd rydym ni'n talu tanysgrifiad ein gorthrwm ein hun ac mae pawb yn ein gormesu: llywodraethau, strêts, ffeministiaid Cristnogion, Mwslemiaid.

Cofion

Wolfi

Bregenz
18.8.1988

Annwyl M-

Rydw i yng Nghanolfan y Groes Goch ym Mregenz lle rydyn ni'n cael ein hyfforddiant sylfaenol.

Dyma'r ail lythyr i mi'i ysgrifennu yma a dyma'r ail dro iddyn nhw ofyn a ydw i'n ysgrifennu llythyr serch. Mae'n ogleisiol iawn. Ond dydyn nhw ddim wedi sylweddoli eto nad *blonde* naturiol mohonof!

Mae hwn yn awyrgylch 'strêt' iawn. Maen nhw'n gwybod—mewn theori o leiaf—fod hoywon yn bodoli. Buasai'n amhosibl peidio â gwybod yn oes AIDS, ond mae'n rhywbeth pell i ffwrdd, nad yw'n effeithio arnynt. Fel rhyfel neu ddaeargryn mewn gwlad bell.

Un bore bu'n rhaid i mi fynd i ddarlith ar AIDS. Roeddwn i'n dawel drwy'r amser gan fy mod yn teimlo bod goleugylch (*spotlight*?) wedi'i droi arnaf. Ond byddwn i'n gorfod mynd mewn drag i ddod allan o'r cwpwrdd (*Come out of the closet?*) yn y grŵp yna.

Mae llawer ohonyn nhw'n ddigon dymunol yn eu ffordd. Mae ambell un yn ddiddorol hyd yn oed. Mae 'na un dyn ifanc rydw i'n ei ffansïo. Mae e'n darllen '*comics*' drwy'r amser. Mae'n cadw hyd braich (*aloof*?). Does dim llawer o obaith ond mae'n dipyn o hwyl. Ei enw yw Engel (= angel).

[-]

Rydyn ni'n anghytuno'n llwyr ynglŷn â *The Iceman Cometh* ond mae fy chwaeth i'n fwy poblogaidd na'th chwaeth di. Wedi dweud hynny mae bwyta ym MacDonald's yn boblogaidd. Efallai fod cymeriadau O'Neill yn deipiau fel rwyt ti'n dweud, ond onid yw'r rhan fwyaf o bobl yn *clichés*? Mae'n fwy anodd bod yn unigolyn na bod yn deip. Dyw pobl ddim yn licio unigolion ond dydyn nhw ddim yn sylweddoli hynny.

Does gen i ddim llawer o amser i ddarllen y dyddiau 'ma, rydw i'n rhy flinedig, mae'n well gen i wylio'r newyddion ar y teledu.

Ydy fy Nghymraeg ysgrifenedig yn gwella? Dydw i ddim yn teimlo'i fod a chaf i lai byth o gyfle i ddarllen

Cymraeg yn awr—ar wahân i dy lythyron di, wrth gwrs, felly rhaid iti ysgrifennu yn aml.

Cofion cynnes

Wolfi

Innsbruck
28.8.88

Annwyl M-

Cefais f'arholiad ar Lenyddiaeth America y bore 'ma. Yn awr rydw i mewn hwyl ar-ôl-arholiadol (*post examinal*). Hoffais y cwestiwn cyntaf— 'The New Yorker *asks you to write a short story for them; what criteria would you have to consider?*' Dydw i ddim yn credu y buasen nhw wedi derbyn fy stori.

[-] Mae yna ddywediad yn Almaeneg sy'n eithaf doniol: '*Ich hoffe ich bin dir nicht auf den Schlips getreten*' (Gobeithio na wnes i ddim sefyll ar eich tei). Ofnaf i mi sefyll ar dy dei di yn fy llythyr diwethaf. [-]

Rydw i'n teimlo mor *gossippy* nawr, liciwn i ddweud rhai *juicy gossips* wrthot ti nawr, ond dydw i ddim yn un da am feddwl am storïau fy hun. Wyddost ti fod *gossip* yn dod o *God's siblings*?

Cwrddais â'r bobl 'ma sy'n athrawon. Mae hi'n *androgynous* (oes yna air Cymraeg?) ac mae'i gŵr yn *bisexual* (beth yw'r Gymraeg?). Yn ddiweddar maen nhw wedi hudo (*to seduce*?) mab un o'u cydathrawon a diolchodd hwnnw iddynt am edrych ar ôl ei fab a rhoi cinio iddo ac am ganiatáu iddo gysgu yno dros nos! Rydw i'n licio'r stori ond dydw i ddim yn licio'r bobl, mewn gwirionedd.

Rydw i'n dal i astudio ôl-foderniaeth. Mae rhai o'r

syniadau yn apelio ataf yn fawr iawn. Yn ôl un beirniad rydyn ni'n byw mewn cyfnod o *synchronicity* yn hytrach nag un o feddwl *diachronic*. Ar y gorau y mae gan bobl weledigaethau o ddyfodol hunllefus, er enghraifft *Endgame* Beckett—ofnau (AIDS yn un ohonynt, mae'n debyg). Hefyd, yr egwyddorion strwythurol newydd, fe ymddengys, yw Gofod, ond does gennym mo'r organau priodol eto i lywio'n hunain mewn Gofod. Y ddadl yw fod hon yn oes o oddrychedd dadstrwythuredig. Goddrychedd yw'r canlyniad i'r cydchwarae rhwng y gorffennol—y presennol—a'r dyfodol, ond unwaith y mae dyn yn byw yn y Nawr does dim modd iddo'i ddiffinio (*delineate?*) ei hun.

[-]

Cariad cu,

Wolfi

Göfis
[diddyddiad]

Annwyl M-

Dyma fy sgrifbin marcio [inc coch]. Ddydd Iau bydd fy nosbarth Almaeneg yn gorfod ysgrifennu'u harholiad cyntaf.

[-]

Roedd Walter yn arfer gweithio ar yr un *ward* â finnau (ydy hwn yn gywir?). Dydy e ddim yn siŵr ynglŷn â'i hoywder (*gayness?*) ac mae'n ofni y daw pobl i wybod. (Rydw i'n cael trafferth i ddod ymlaen gyda gwrywgydwyr fel hyn. Dydw i ddim yn gwneud sioe o fod yn hoyw ond ar y llaw arall dydw i ddim yn ceisio'i guddio chwaith. A dweud y gwir dyw e ddim yn beth pwysig iawn i mi.) Y peth digri yw ei fod e'n amlwg yn 'frenhines' (ydy hwn yn dderbyniol yn yr ystyr hon yn Gymraeg?). Rydw i wedi dysgu bod llawer o bobl sy'n teimlo'u hoywder yn gryf iawn, ac sy'n gwneud ymdrech fawr i'w guddio, yn fwy amlwg hoyw na'r rhai sy'n gwbl agored ynglŷn â'r peth. Mae'r holl egni sydd yn mynd mewn i guddio'u hoywder yn cael ei wastraffu oherwydd bod pawb yn gwybod eu bod nhw'n hoyw ac yn siarad amdanyn nhw. Fel Walter, mae e'n sicr does neb yn gwybod amdano a'i fod yn llwyddo i dwyllo pawb i gredu'i fod e'n strêt—ond mae pawb yn gwybod ei fod e'n hoyw, a'r unig un sy'n cael ei dwyllo yw Walter ei hun!

Môr o gariad

Wolfi

O.N. Rydw i wedi gadael yr Eglwys Gatholig yn swyddogol. Dydw i ddim yn credu mewn crefydd ffurfiol eithr mewn rhyw fath o grefydd fydol *secularized*, unigolyddol, sydd hefyd yn esthetig. Bûm yn darllen am Saunders Lewis yn ddiweddar. Mae'n anodd gen i gredu ei fod yn cael ei gyfrif fel cymaint o 'feddyliwr' gan y Cymry—pa feddyliwr allai gymryd y syniad o Bab o ddifri?

Göfis
[diddyddiad]

Annwyl M-

Am ryw reswm rydw i'n oedi cyn ymateb i dy lythyr. Mae'n ddrwg gen i glywed fod pethau wedi mynd o chwith (?) yng Nghaerdydd—Rydw i'n darllen

105

dy lythyr eto—Rydw i'n poeni bod dy 'fywyd carwr-iaethol' wedi cael ei ddal rhwng dyfynodau eironig, dieithriol (rydw i'n ceisio dweud *distancing*). Ond a bod yn onest buaswn i'n gorfod rhoi fy [mywyd carwriaethol] rhwng bachau petryal fel yna er mwyn mynegi distadledd ac absenoldeb ar hyn o bryd. Yn gyffredinol mae serch yn atodiad i fywyd. Pan fo'n rhan naturiol o fywyd mae rhywun yn anghofio amdano a dim ond mewn achos o'r atodiadwst (*appendicitis*) maen nhw'n canolbwyntio arno. Tamaid bach o 'ddoethineb' sy'n *rhy amlwg* i fod o werth.

Mae'n debyg y dylet (dylset?) gymdeithasu mwy ond mae Aberdâr yn swnio fel lle anaddas i gymdeithasu. Ac mi wn i am beth rydw i'n siarad gan fy mod i'n byw yn Göfis a bron byth yn mynd allan. Credaf dy fod yn llawer mwy cymdeithasol na fi a dy fod ti'n 'blodeuo' ymhlith pobl—y bobl iawn. Ond gwn fod yna ochr arall i dy bersonoliaeth sy'n ceisio cilio rhag pobl am resymau sy'n dywyll, aneglur i mi. Wrth i mi geisio taflunio fy hunan i mewn i dy feddwl di gofynnaf ai ofni *turbulence* wyt ti, ofni'r *turbulence* a achosid gan *contact*, ofn siomedigaeth? Mwy na thebyg rydw i'n hollol anghywir. Ac eto, mae'n amlwg bod yna ofn unigrwydd sylweddol, ofn cael dy lethu gan serch rhywun arall, a'r dyhead am serch a thang-nefedd. Wyt ti'n cofio sôn am Emily Dickinson? Ar hyn o bryd mae'n ymddangos bod cyffelybiaeth (un o'm hoff eiriau Cymraeg) rhwng dy fywyd di a'i bywyd hi—

We send the Wave to find the Wave—
An Errand so divine,
The Messenger enamored too,

Forgetting to return,
We make the wise distinction still,
So ever made in vaine,
The sagest time to dam the sea is when the sea is gone—

Roedd gwaith yn galed heddiw. Rydw i wedi blino. Roedd un o'r nyrsys yn pryfocio nyrs (gwryw) arall sy'n chwarae pêl-droed. Mae hi'n meddwl bod pêl-droed yn sbort gwrywgydiol gan fod y chwaraewyr yn cusanu a chofleidio'i gilydd bob tro maen nhw'n sgorio. Mae hi'n cael ei siocio bob tro mae'n gweld dynion yn dangos teimladau. Un tro darllenodd hi lyfr am gyfeillgarwch rhwng dynion a murmurodd ei bod yn meddwl bod yr awdur yn ddewr iawn wrth ysgrifennu am y peth gan fod perygl i bobl feddwl ei fod e'n *queer*. Mae nyrs arall yn darllen *Kiss of the Spider Woman* a sibrydodd wrtho i ei bod hi'n meddwl bod y ddau brif gymeriad yn *queer*. Gallwn i restru llawer o enghreifftiau. Rydw i'n cael y sefyllfaoedd hyn yn *embarrassing*. Y gwrthdaro o hyd rhwng yr hyn y dylwn (dylswn?) i wneud—eu herio nhw, dweud wrthyn nhw fy mod i'n hoyw—a'r ffordd rydw i'n osgoi'r gwirionedd.
[-]
Rydw i'n dwlu ar sŵn y Gymraeg. Trueni nad oes cyfle i'w glywed yn Awstria. Mae'r Gymraeg yn rhyw fath o foethusrwydd (*luxury?*) imi.

Cariad cynnes

Wolfi

Annwyl M-

Mae gen i arholiad—yr un olaf—ar Fehefin 27—
cofia fi. Rydw i'n gweithio yn yr ysbyty meddwl yn
rheolaidd nawr (tan Awst). Mae hyn yn gadael dim
ond ychydig o amser i'm hastudiaethau, heb sôn am
bethau eraill.

[-]

Bu'n rhaid i mi roi gwaed, neu fe ofynnwyd i mi yn
garedig i roi peth yn yr Hydref. Wrth gwrs, gwyddwn,
gan fy mod yn hoyw, y byddai hyn yn broblem. Beth
bynnag, gan gymryd fy mod yn '*low risk*' ('*low risk*'
iawn iawn)—penderfynais y byddwn yn gwirfoddoli a
gadael iddyn nhw wybod fy mod i'n hoyw. Rhaid i mi
gyfaddef doeddwn i ddim wedi teimlo fel rhoi gwaed
o'r blaen ond yn awr daeth yn holl bwysig i mi. Beth
bynnag, pan glywodd y meddyg fy mod i'n hoyw
gofynnodd i mi beidio â rhoi, dim rhagor o gwestiynau.

Fe'm gwaharddwyd. Efallai nad oeddwn i erioed
wedi cael rhyw 'peryglus' ac eto wrth i mi ddatgan fy
mod i'n hoyw yr oeddwn i wedi 'dal yr haint', fel
petai. Gwenwynwyd fy ngwaed yn barod gan AIDS.
Roedd y clefyd ynof yn sicr. Roeddwn i'n beryglus.
Yn fygythiad. Mae AIDS a gwrywgydiaeth yn mynd
law yn llaw.

[-]

Cofion cu

Wolfi

Annwyl M-

Rydw i wedi treulio'r dyddiau diwethaf yn nhŷ fy mrawd a'm chwaer-yng-nghyfraith. Roedden nhw ar eu gwyliau yn y mynyddoedd a fi oedd y 'ci gwarchod' (*guard dog*?) yn eu cartref. Nawr mae fy chwaer-yng-nghyfraith yn lân, yn bechadurus o lân. Mae'n fwy nag 'fel pìn mewn papur' (fel sydd yn y llyfr idiomau y rhoist i mi), mae'n ddifrycheulyd (gair da), fel petai neb yn byw yn y tŷ. Mae hyd yn oed y lawnt yn ddifrycheulyd, heb ffrwythau'n pydru na dail, hyd yn oed. Mae'r llwybr at y drws yn lân o betalau blodau. Dim llygredd. Dim byd amhur. Mae pawb sy'n byw yn y tŷ hwn yn lân. Mae hyd yn oed ei phlant (i gyd dan un ar ddeg oed) yn glinigol lân, wedi'u gwisgo'n dwt bob amser ac yn ymddwyn yn berffaith heb lacio. Mae popeth mewn trefn berffaith a'i threfn hi yw'r cyfan. Mae bron â bod yn arswydus fel mae'r tŷ i gyd, popeth ynddo, wedi'i drwytho mewn Trefn. Mae'n frawychus i weld fel mae teganau'r plant yn eistedd ar hyd y wal, yn wylaidd, wedi'u trefnu'n eometregol (rwy wedi edrych am y gair '*geometrical*' yn y *Geiriadur Mawr*, ydw i'n iawn i ddewis 'geometregol' yn hytrach na 'meintonol'?), wedi'u haddasu i gydymffurfio â threfn y stafell chwarae. Teimlwn yn euog, bron, oherwydd wnes i ddim golchi'r llestri yn syth ar ôl brecwast. Ceisiais i ddefnyddio cyn lleied o le â phosibl er mwyn peidio â difa'r drefn hyd at y pwynt y byddai'n cymryd oriau i'w hadfer—heb sôn am greu annhrefn llwyr. Mi wnes i'n eithaf da. Cyn iddyn nhw ddod nôl fe adfywiais glustog llipa ar y soffa i'w gael i sefyll i fyny yn falch a chefnsyth fel milwr bach eto.

Ac eto fe welodd ei phlant fy mlerwch. Yng nghanol yr holl drefn yma roeddwn i wedi meiddio gosod basged fach o ddillad sych (wedi'u plygu yn daclus hefyd) ar y llawr! Cwynodd fy nai bach annwyl (yn wir, mae'n berffaith, bron, ac nid yw'i feiau bach plentynnaidd yn gwneud dim mwy na thanlinellu a phwysleisio'i berffeithrwydd), cwynodd am y 'llanastr' yn ei stafell. Doeddwn i ddim wedi plygu fy nillad yn iawn, felly doedd yno ddim llinellau cyfochr (*parallel*?), mewn gair, dim digon o 'feintoniaeth' neu eometreg.

Ond teimlwn yn falch i feddwl pan aeth y bachgen i'w stafell iddo sathru ar f'oriawr—yn ddamweiniol, rwy'n siŵr—a'i fod wedi'i thaflu i ffwrdd rhag ofn iddo gael ei gosbi. Ar y llaw arall efallai ei fod wedi dwyn f'oriawr fach bert (ferchetaidd) am ei fod yn ei licio hi gymaint (sy'n annhebygol, mewn gwirionedd). Beth bynnag, diflannodd yr oriawr a chollodd fy chwaer-yng-nghyfraith ei phen ychydig, dim ond ychydig; mae'n rhy sicr o drefn ei thŷ i'w golli'n gyfan gwbl. Wnes i ddim sôn mwy am y peth er mwyn amddiffyn fy nai rhag ei llid.

A beth am fy nai? Tybed beth fydd e'n gorfod ei guddio unwaith y blodeua ei Ddyhead? Mae fy nai bach perffaith yn gwneud i mi feddwl fod diafol bach yn cysgu yn ei galon. Beth os dihuna'r cythraul? Beth os daw i feddwl am Ryddid ac am chwalu Trefn?

Wel, rydw i'n falch i fod gartref eto ac i adael y tŷ yna. Beth fuasai'n digwydd petasai fy chwaer-yng-nghyfraith yn dod i wybod fy mod i'n hoyw? Beth sy'n ddoniol yw ei bod hi'n edrych arnaf fi fel rhyw fath o 'fodel' i'w mab!

Cofion cynnes
Wolfi

Annwyl M-

[-] Ydw i wedi sôn am Markus? Mae Markus 'i mewn i ledr' a phopeth sy'n gysylltiedig ag ef. Ar y dechrau roedd y berthynas yn ddymunol ond anodd. Cwympais mewn cariad ag ef ond bob yn dipyn dysgais nad yw hoyw yn gyfystyr â hoyw. Mae'n derm *heterogenous* iawn mewn gwirionedd.

[-] Gan nad oes dim cylch hoyw agored yma rydw i wedi dechrau archwilio'r rhai cudd, cyfrinachol.

Rydw i'n dal i wneud pethau 'deallusol' yn anghyson, ond wedi colli blas. Fy niddordeb nawr yw'r elfennau sylfaenol, rydw i wedi symud tuag at *minimalism* personol.

[-] Rydw i'n ofni cael fy nghlymu wrth un person. Mae'n swnio'n ddigri ond mae'n wir. Pan fo dyn yn dangos diddordeb ynof mae'r syniad yn mynd trwy fy meddwl, 'Nawr bydd rhaid iti fynd ar dy wyliau gyda fe, gwneud popeth gyda fe, cwrdd â'i fam . . .'

[-] Mae'r chwilio'n anodd. Mae'n anodd i mi enwi'r hyn rydw i'n chwilio amdano. Rydw i wedi cael cylch-grawn gan Markus gyda '*gay contact ads*' ynddo. Doedd dim un yn apelio ataf—sy'n gwneud i mi boeni! Yna cefais y syniad o osod fy hysbyseb fy hun. Ond allwn i ddim meddwl am eiriau addas. Ar ôl astudio iaith am gymaint o amser alla i ddim llunio hysbyseb i mi fy hun! Dydw i ddim yn nabod fy hunan yn ddigon da. Mae'n hawdd i Markus, mae'n gwneud rhestr o liwiau a dyna ni! Ydy hyn yn rhy bersonol i ti? Dywedai Jonathon, '*This is very un-English of you*'. Diolch nad wyf yn Sais, felly. Ydy hi'n Anghymreig? (*un-Welsh*?)

Cymer ofal

Wolfi

[Tua mis ar ôl y llythyr hwn ysgrifennodd chwaer Wolfgang ataf i ddweud bod criw o Neo-Natsïaid wedi ymosod arno ef a phobl eraill wrth iddynt ddod allan o glwb hoyw un noson. Fe laddwyd Wolfgang yn y sgarmes. Roedd e'n 27 oed.]